ララチッタ
Busan

プサン

ララチッタとはイタリア語の「街＝La Citta」と、
軽快に旅を楽しむイメージを重ねた言葉です。
港町のおいしいグルメや最旬カフェ、
きれいになれるチムジルバン、韓国コスメなど…
大人女子が知りたい旅のテーマを集めました。

プサン早わかり…P4
2泊3日王道モデルプラン…P6
とっておきシーン10…P8

● おいしいもの…P15

必食海鮮グルメ10…P16
名物! 絶品ミルミョン…P18
本日は贅沢に韓牛焼肉…P20
本場の豚焼肉にトライ…P21
美肌グルメでキレイ…P22
屋台メシにチャレンジ…P24
おいしいチェーン店…P25
おしゃれカフェ事情…P26
コリアンスイーツ大集合…P28

● おかいもの…P29

ファッショントレンドショッピング…P30
噂の韓国コスメ…P32
人気のザ・韓国みやげ…P34
プサン雑貨ショップ…P36
新世界センタムシティ…P38
2大免税店徹底比較…P39
アウトレットでお得に買い物…P40

● きれい…P41

海ビューチムジルバン…P42
街なかチムジルバン…P44
韓国マッサージで爽快…P46
韓国スキンケアコスメ…P48

● 街あるき…P49

ドラマ撮影スポット…P50
おかいもの天国
西面で女子力アップ!…P52
西面最旬カフェめぐり…P54
韓国伝統茶を味わう…P56
西面モール地下商街…P57
デパ地下みやげ…P58
旬の夜遊びゾーン…P59

南浦洞の定番スポットへ…P60
韓国雑貨 in 国際市場…P64
影島でアートと絶景に出合う…P66
海雲台ビーチでのんびりステイを…P68
広安里で王道観光＆ショッピング…P70
東莱温泉で
日帰り湯＆古刹めぐり…P72
慶州で新羅の時代へ
タイムスリップ!…P74

● おすすめスポット…P77

観光スポット…P78
グルメ…P79
ショッピング…P82
ビューティー&ナイト…P85
ホテル…87

● プサン市内の交通…P90

街の回り方…P90
地下鉄…P92
タクシー…P94
市内バス…P95

知っておきたい便利情報…P96

● トラベルインフォメーション…P97

インデックス…P110

MAP

プサン全体図 …P2
プサン中心部 …P3
南浦洞・釜山タワー周辺 …P4
西面 …P6
南浦洞・光復路 …P6
東萊温泉周辺 …P7
海雲台・広安里・
センタムシティ周辺 …P8
地下鉄路線図 …P10
シーン別 カンタン韓国語 …裏表紙

マークの見かた

日 日本語メニューがある	交 交通
英 英語メニューがある	住 住所
日 日本語スタッフがいる	☎ 電話番号
英 英語スタッフがいる	時 開館時間、営業時間
予 予約が必要	休 休み
Ⓢ 1人部屋または2人部屋の 1人使用の宿泊料金(室料)	料 入場料や施術料金など
Ⓣ 2人部屋の1泊あたりの 宿泊料金(室料)	

その他の注意事項

●本書に掲載した記事やデータは、2024年2〜5月の取材、調査に基づいたものです。発行後に、料金、営業時間、定休日、メニュー等の営業内容が変更になることや、臨時休業等で利用できない場合があります。また、各種データを含めた掲載内容の正確性には万全を期しておりますが、おでかけの際には電話等で事前に確認・予約されることをお勧めいたします。なお、本書に掲載された内容による損害等は、弊社では補償いたしかねますので、予めご了承くださいますようお願いいたします。

●地名・物件名は観光公社などの情報を参考に、なるべく現地語に近い発音で表示しています。

●休みは基本的に定休日のみを表示し、年末年始や旧正月・秋夕(お盆)、国の記念日など祝祭日については省略しています。

●料金は基本的に大人料金を掲載しています。

プサン早わかり

プサンは朝鮮半島南東部に位置する、韓国第2の都市。
1876年の開港以来、国際貿易港として栄え、ビーチのほか温泉もあり、毎年大勢の観光客が訪れる。

観光客多し

★ センタムシティ
南浦洞　影島　海雲台

食・買メイン／リゾート志向

釜山駅周辺　　広安里
★東萊温泉

★西面

地元っ子多し

なんでも揃う定番スポット

❶ 南浦洞 MAP 付録P4·5
ナンポドン／남포동

韓国有数の水揚げ量を誇る釜山港とチャガルチ市場を結ぶ南浦洞エリア。国際市場、釜山タワーと主要なみどころが集まる。通り沿いにはショップやコスメ店、人気のおしゃれカフェが並ぶプサン随一の繁華街。

1：釜山港の港町としても栄える南浦洞エリア　2：路地には地元客で賑わう飲食店が
ACCESS>>>Ⓜ1号線南浦駅、チャガルチ駅

プサンのトレンド発信地

❷ 西面 MAP 付録P6
ソミョン／서면

駅に直結して釜山ロッテホテルや免税店が入るロッテ百貨店など大型施設が立つ、釜山第2の繁華街。最近では若者で賑わいをみせるクラブやバーも登場。地下鉄1、2号線が交差するため、各方面へのアクセスも便利。

1：百貨店やファッションビルが多い　2：プチプラアイテムも要チェック
ACCESS>>>Ⓜ1、2号線西面駅

充実したプサンの玄関口

❸ 釜山駅周辺 MAP 付録P3-A3
プサンヨク／부산역

プサンの鉄道の玄関口である国鉄釜山駅があるエリア。構内にはカフェテリアや売店、観光案内所が設けられている。国鉄釜山駅から駅を挟んだ向かい側に地下鉄釜山駅がある。

1：プサンの交通の要でもある釜山駅
ACCESS>>>Ⓜ1号線釜山駅、国鉄釜山駅

オーシャンビューの店が多い

4 広安里 MAP付録P8-A3
クァンアンリ／광안리

海水浴場近くに雰囲気の良いカフェや雑貨店が集まる。トレンド発信地として地元の若者にも人気。夏場は水上スキーやボートなどのマリンスポーツも盛んで、ビーチには屋台も登場する。

1：ランドマークの広安大橋　2：ビーチビューのカフェで休憩
ACCESS>>>Ｍ2号線広安里駅、金蓮山駅

プサンーのリゾートエリア

5 海雲台 MAP付録P9
ヘウンデ／해운대

美しい白砂のビーチが2kmにわたり弧を描く海雲台海水浴場を中心にした、国際的なリゾート地。海岸沿いに高級ホテルが並び、都会的な雰囲気もみせる。毎年10月に開催される釜山国際映画祭のメイン会場にもなり、多くの芸能人が訪れている。温泉保養地でもあり、ビーチを望めるスパ施設などで絶景を楽しめる。

1：韓国有数のビーチリゾート
2：つい写真を撮りたくなるおしゃれな街並み
ACCESS>>>Ｍ2号線海雲台駅

プサン北部にある歴史ある温泉地

7 東萊温泉周辺 MAP付録P7
トンネオンチョン／동래온천

東萊温泉は新羅時代の王が訪れたという歴史ある温泉地で、そこから北に韓国禅宗の総本山・梵魚寺がある。釜山大はおしゃれなショップやカフェが道沿いに並ぶ。アクセスも良好。
1：韓国禅宗の遺跡に圧倒される　2：情緒のあるエリア
釜山大　ACCESS>>>Ｍ1号線温泉場駅

再開発が進む新たな観光エリア

6 影島 MAP付録P2
ヨンド／영도

再開発が進み、新たなおでかけスポットとして注目を集めるエリア。海に囲まれた影島ならではのフォトジェニックな景色に出会える。甘川文化村や太宗台公園などで散策を楽しめる。
1：風光明媚なオーシャンビュー
2：歩いているだけでも楽しい町並み　ACCESS>>>Ｍ1号線南浦駅

複合施設を中心に発展中

8 センタムシティ MAP付録P8-B1
센텀시티

百貨店、スパランド、映画館などが入った世界最大級の複合施設・新世界センタムシティを中心に発展する注目エリア。

1：世界最大規模の新世界センタムシティ　2：スパやスケートリンクなど施設も充実
ACCESS>>>Ｍ2号線センタムシティ駅

郊外スポット

●慶州 MAP P75
キョンジュ／경주

新羅王朝1000年の都
約1000年にわたる新羅王朝の都として栄えてきた地。古墳群や発掘された遺跡も多く点在する一帯は世界遺産にも登録され、「屋根のない博物館」ともよばれる。レンタサイクルなどで1日かけて観光するのもおすすめ。

1：歴史の息吹を感じる古墳公園
2：世界遺産にも認定された仏国寺
ACCESS>>>KTX・SRT慶州駅

やりたいことを全部叶える！

2泊3日王道モデルプラン

名物市場に行って、グルメを食べて、観光も忘れずに！
アレもコレも詰め込んだモデルプランを参考に、プサンを思いっきり楽しもう！

DAY 1

初日はゆっくり♪

王道観光地めぐり

釜山のランドマーク、釜山タワー（→P60）

アレンジプラン

飛行機やフェリーの移動の疲れを癒やす、チムジルバンに行くのもおすすめ。アクティビティや食事も一緒にできて一石二鳥！？

12:15
金海空港到着

↓ ライトレール＋地下鉄で25分

13:30
西面のホテルに荷物を置く

↓ 地下鉄で16分

14:00
チャガルチ市場
ウォッチング＆海鮮グルメ

↓ 徒歩で15分

15:30
釜山タワーへ

↓ 地下鉄で16分

17:30
西面で免税店＆
百貨店ショッピング

↓

19:30
名物、ミルミョンを味わう

↓

21:00
マッコリ居酒屋で乾杯★

ADVICE!
空港からライトレールの駅へは徒歩約3分。ライトレールは4〜10分間隔で運行。西面へは沙上駅で地下鉄2号線に乗り換えよう。

小売店が軒を連ねるチャガルチ市場（→P63）は定番スポット

ロッテ百貨店（→P52）はおみやげ探しにぴったり

プサン名物のピリ辛ミルミョンはさっぱりとした味わい

DAY 2

プサンで海を堪能♪

ビーチでゆっくりリラックス

高速エレベーター内では映像が流れ、まるでアトラクションのよう

09:00
朝ごはんはテジクッパ

↓ 地下鉄で40分

10:30
朝の海雲台ビーチをのんびり散歩

↓

11:00
プサン エックス ザ スカイに登って
プサンを一望

↓

P7へ続く

ADVICE!
テジクッパはプサン周辺で食べられている豚スープのご飯。自分好みに味付けして食べよう。

海雲台はプサンを代表するリゾートスポット

P6から

アレンジプラン

一日中時間が使える2日目は歴史を感じる東萊や慶州に足を伸ばすのもgood。温泉や世界遺産に触れて韓国の歴史に思いを馳せよう。

タンパク質豊富で栄養たっぷり

13:00
ランチはコムジャンオでエネルギー補給

さまざまな効能を持つ伝統茶。体調や気分によって選ぼう

14:45
海雲台ブルーラインパークの観光列車に乗ろう

↓ 観光列車＋徒歩で15分

15:10
ビビビ堂の伝統茶でひと休み

17:00
広安里に移動してショッピング＆ディナー

ゆっくり走る観光列車の搭乗時間は往復およそ50分

ミルラク・ザ・マーケット(→P70)は広安大橋が目の前に

20:00
ライトアップされた広安大橋を楽しむ

土曜日には約10分のドローンショーが開催される

DAY3

旅の記念に♪
最後のみやげ探し

09:00
朝食はカルグクスを

↓ タクシーで5分

キジャンソンカルグクス(→P19)のもちもち麺は絶品

09:30
西面周辺のスーパーでおみやげ探し

↓ タクシーで5分

10:00
荷物を詰めてチェックアウト

スーパーなら人気のお菓子から調味料まで多様に揃う

Eマート・トレーダーズ(→P84)は大量買いに便利

10:30
西面で最後の買い出しへ

アレンジプラン

時間があれば新世界センタムシティ(→P38)へ。韓国ブランドの店や食品街もあり、おみやげ探しにもぴったり。フードコートで軽食をとるのも◎。

11:30
ホテルからリムジンバスで約30分、空港へ

種類豊富なデパ地下もオススメ

ADVICE!
キムチやコチュジャンは液体扱いで飛行機の中に持ち込めないので、預け入れ荷物に入れておこう。

SPECIAL SCENE10

プサンで叶えたい♥

とっておきシーン10

活気ある市場や韓国アートの街など、ひと味違った韓国が味わえるプサン。
最近ではおしゃれなカフェも急増中。プサン旅を楽しむための注目キーワードをチェック！

SCENE
1
P66

再開発が進む最新スポット
影島エリア

海岸と丘の上の路地に沿って、小さな家が絵画のように並ぶ

南浦洞からほど近い影島は、再開発が進む今話題のスポット！
絶景が楽しめる散策路が整備されているので、爽やかな空気を
感じながら散策したくなる。
海沿いの住宅がカラフルなヒンヨウル文化村は、韓国のサント
リーニ島ともいわれる風光明媚な土地。太宗台オーシャンフラ
イングは、影島区が観光活性のために設立した新テーマパーク。
島を散策して、お気に入りの風景のなかで写真を撮ろう。

鮮やかな色の壁画に注目！歩いているだけでも楽しい

眺めのよい
カフェで映え写真を
撮影するのも
GOOD!

海に浮かんでいる
ような絶景

見晴らしのよい展望カフェ
はスイーツと絶景を同時に
満喫できる

太宗台オーシャンフライング
태종대 오션플라잉
●テジョンデオションプライン

MAP 付録P2-B4 ⓧM1号線南浦駅から車で15分 ⓗジップライン・MOEI影島区太宗路836番キル55、カフェ影島区海洋ヒーリング路55 ☎ (051) 404-0219 ⓞ9〜18時 (カフェは10〜22時) ⓗなし

影島に誕生した複合施設。絶景が楽しめるジップラインやメディアアート(MOEI)があり、影島観光の目玉として話題。眺めのよいカフェではジャズのライブも行われる。

海を横切るジップライン。653mの空中旅はスリル満点

最大乗車人数は4人。
友人同士やカップルで
利用したい

どちらにも
乗りたい！

SCENE
2
P69

車窓からの眺めが楽しい♪

海雲台
ブルーラインパーク

海雲台ブルーラインパークは、海雲台の尾浦から青沙浦、松亭に至る4.8km区間の旧鉄道施設を再開発して設けられた観光施設。地上10mに設けられた空中レール上を進むスカイカプセルと、地上を走る海辺列車がある。海岸の絶景を見ながらゆっくり走る観光列車で、海雲台のビーチの眺めを堪能しよう。スカイカプセルは尾浦～青沙浦、海辺列車は尾浦～松亭を運行している。

海雲台ブルーラインパーク
해운대블루라인파크● ヘウンデブルーラインパーク
MAP 付録P2-B3 ⊗2号線中洞駅から徒歩20分 ㊟海雲台区タルマジギル62番キル13 ☎(051) 701-5548 ㊞9～18時 (11～4月)、9～20時 (5～6月と9～10月)、9～22時 (7～8月) ㊤なし ㊟(スカイカプセル) W5万5000 (1～2人乗り)、W6万9000 (3人乗り)、W7万7000 (4人乗り) ※往復利用、海辺列車W1万※ (往復利用) 日 英
URL https://www.bluelinepark.com/eng/bluelinePark.do
各駅にチケット売り場(もしくは無人発券機)があるが、週末の当日券はすぐに売り切れるため、事前予約が安心。時間指定制のため、往復する際の復路は1～3時間後の交通手段を指定して。

SCENE 3
P78

カラフルで
絵画のような街

甘川文化村

甘川(カムチョン)文化村は、韓国独自の階段式
住宅を残す文化地区。2009〜10年のアートプ
ロジェクトで現在のカラフルな街並みに変貌して
おり、SNS映えも抜群。アートショップで地図を
購入したら、6つのポイントを巡り展望台の「ハヌ
ルマル」を目指そう。総合案内所も兼ねており、こ
こから村や釜山港を一望できる。途中、細い路地
や長い階段、文化村に暮らす住人とアートのすて
きな風景との出会いも期待できる。

星の王子さま&
狐は一番の人気
撮影スポット

「甘川との同化」とい
う作品。展望台から
の景色と人型の彫
刻に描かれた風景
が一体化する

見晴らし
バツグン

ラテの上にわたあめがのっ
ている人気メニュー「雲ラ
テ」。わたあめのボリューム
やキュートな見た目が話題

階段上の青い家
계단위 푸른집●ケダンウィプルンチプ

MAP 付録P2-A3⊗ M1号線土城駅から車で5分
沙下区甘内1路 243番ギル3 ☎ (010) 9323-
1516 ⊕11〜19時 ㊡木曜 ㊤ ㊥

かわいらしい青い建物が目印のカフェ。スー
パージュニア・キュヒョンのMV撮影が行
われたことでも有名。センスのよいインテリ
アと、店内からの景色に癒やされる。

SCENE 4
P26・54

乙女心をくすぐる

フォトジェニック
カフェ

ここ数年、プサンにもソウルに負けないくらいおしゃ
れなカフェが増加中。シックな内装や、その店独自の
スイーツを売りにしたカフェがあちこちに登場。クリー
ムがたっぷりトッピングされたコーヒーなど、フォトジェ
ニックなメニューも話題を呼んでいる。

爽やかな影島の海を
望むカフェも
要チェック

オフン(→P27)の餅のフォ
ンデュ。餅を小豆ソースに
つけていただく

モウヴ(→P55)の人気ドリンク、モ
ウヴシュベナー(左)、カサブサノ(→
P26)のスモアインコンバーニャ(右)

とっておきシーン10

SCENE 5

P16・63

これぞプサン名物!

市場&
海鮮グルメ

→ 新鮮で濃厚な味

韓国有数の港をもつプサンにはおいしいものがいっぱい。新鮮な魚介を使った刺身や鍋は必ず食べたい名物メニューだ。活気あふれるチャガルチ市場もぜひ訪れたいグルメスポット。2階は食堂街になっており、水揚げされたばかりの海の幸をその場で調理してもらって食べることができる。場外にもおいしい海鮮のお店がずらり。

キムユスンテグポルチム(→P16)のテグポルチムは見た目に反して辛さ控えめ

韓国の刺身は白身魚が多い

威勢のいいかけ声が飛び交うチャガルチ市場(→P63)でパワーチャージ!

新鮮な魚介がお得に食べられるのも市場ならでは

ハイセンスな雑貨店をはしごして

SCENE 6

P36

プサン旅の思い出に

ハイセンスな
雑貨を探して

せっかくなら、ソウルにはないプサンだけの商品を探すのがおすすめ。広安大橋などのプサンを代表する風景をプリントしたグッズなどは、友達にあげても喜ばれそう。プサンでつくられている商品もレア度が高いので、旅の記念に買っておきたい。

プサンのらしい景色のポストカード。写真は海雲台ブルーラインパークのスカイカプセルと海辺列車を描いたもの

カーリーバスケット(→P65)のバスケット。使いやすい生活雑貨をおみやげにするのも◎

プサンの思い出に、ポップでかわいい色使いの食器を探してみよう

P30・57

SCENE 7

人気エリアでトレンドチェック
韓国ファッション

韓国発の
ブランドは
要チェック！

大人カワイイ韓国ファッションは日本でも大人気。プサンにはファッションビルや百貨店、モールなどファッションアイテムを探すのにもってこいのスポットが勢揃い。周りと差をつけるアイテムが揃っている。プサン随一のトレンド発信地で最新スタイルをチェックしよう。

新世界センタムシティには注目のトレンドショップが多数入っている。韓国発のアパレルや日本未上陸のブランドもある

西面モール内にあるピグメント（→P57）のニットベスト（上）と新世界センタムシティ内、エミス（→P30）のバッグ（左）

西面モール地下商店街（→P57）には小さな実力店がずらり。安くてかわいいアクセサリーや靴などの小物もそろう

各ブランドの路面店はもちろん、さまざまなブランドが揃うセレクトショップをねらうのもアリ

SCENE 8

P32・48

さすがは美容の国
優秀コスメ

美容先進国・韓国に来たらやっぱり気になるのがコスメ。プチプラからリッチなものまでさまざまだけど、どれもその実力はお墨付き。ロッテ百貨店などのデパートや、南浦洞の光復路が狙い目だ。美に貪欲なプサン女子たちがこぞって買い求める人気コスメをぜひおみやげに。

西面のロッテ百貨店（→P52）はコスメのほかグルメみやげなども充実

センタムシティにあるシコル（→P33）には、韓国ブランドから海外ブランドまでラグジュアリーなコスメブランドが充実

ローカルのドラストはぜひチェックを。オリーブヤング（→P33）は、お手頃価格のものが豊富

かさばらないシートマスクはおみやげの定番。ドラストでまとめてゲットしよう

デパコスはこちら☆

ほっと
リラックス〜

SCENE
9
P42

至福のひととき
チムジルバン
＆エステ

プサンっ子御用達の癒やしスポットが、チムジルバン。低温サウナ部屋は黄土や紫水晶を使用していたり、よもぎ蒸しやマッサージなどオプションが豊富。サウナのあとにゆっくり寝転がれる広い休憩スペースがあるのも特徴だ。また、マッサージやエステのクオリティも高いプサン。日頃の疲れをプサンで解消してみて。

究極の
癒やしスポット

広い館内に約22種類のサウナや温泉を備えている新世界スパランド(→P44)

タオルを羊の頭のように巻くヤンモリは韓国ドラマに登場して流行に

シービューが楽しめるチムジルバンも

旅の疲れも
吹っ飛びます

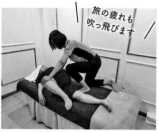

ベテランセラピストによる施術で旅の疲れを吹き飛ばそう

SCENE
10
P22

体の中から美人に
美肌＆ヘルシーグルメ

韓国料理は、食材に陰陽五行の五味(甘辛酸苦鹹) 五色(赤青黄白黒) が取り入れられた、健康によい料理。季節の野菜や、キムチ、コチュジャンなどの発酵食品も一緒に摂取するため、アンチエイジング効果も期待できる。ミネラル豊富な魚介類が味わえるのもプサンならでは。旬の食材を味わえるだけでなく、体の中から美しくなれるのが魅力だ。

美肌効果に
期待♪

美肌成分、ビタミンBを多く含む豚肉がたっぷり入ったテジクッパ。ポンジョンテジクッパ(→P22)

ソウルカクトゥギ(→P23)自慢の一品、滋味深い熱々スープのソルロンタン

コラーゲンを豊富に含むコプチャン(ホルモン)でお肌をプルプルに

プサン名物の
ミルミョンは必食

さっぱりヘルシーなムルミルミョン。草梁ミルミョン(→P18)

Topic1

おいしいもの
Gourmet

焼肉、スープなどのおなじみメニューをはじめ、
プサンならではの海鮮グルメやミルミョンの店など
必食グルメをご紹介。魅力的なスイーツにもご注目!

プサンでいち押しの名物をチェック

必食海鮮グルメ10

韓国一の水揚げを誇る港を擁するプサンは
新鮮魚介の宝庫。海鮮たっぷりの鍋から
素材の味を楽しめる刺身まで
海の幸を思う存分に堪能しよう。

ナッコプセ
낙곱새　タコ・ホルモン・エビ鍋
タコ、牛ホルモン、エビが入った辛い鍋。シメにご飯やうどんを入れて食べてもおいしい。Ⓐ

↓ナッコプセW1万（写真は3人前）は好みの辛さに調整できる

辛さ🌶🌶🌶

テグタン
대구탕　マダラのスープ
タラの身がたっぷり入り、うま味が染み出したスープは二日酔いにもいいといわれている。Ⓑ

↓タンパク質やミネラルが豊富なテグタンW1万4000

➡オム・テウンやチョン・ドヨンなど100名以上のスターが来店

←ウニW1万、キンパW5000。とれたてのウニをキンパに乗せていただく

テグポルチム
대구뿔찜　タラカマの蒸し煮
エゴマの粉と醤油、唐辛子で味付け。昆布に巻いて食べるのもおすすめ。Ⓒ

辛さ🌶🌶

ソンゲ
성게　ウニ
夏が旬の高級食材。韓国ではキンパやラーメン、ビビンバッなどで食べることが多い。Ⓒ

➡タラのうま味と辛さが◎。テグポルチムW2万8000〜

Ⓐ 大淵

五六島ナクチポックム
오륙도낙지볶음●オリュクドナクチポックム

『孤独のグルメ』に登場した店

松茂豊さん主演の『孤独のグルメ』に登場した、絶品ナッコプセの店。マイルドな甘辛の味付けでシメまでペロリと食べられる。MAP付録P2-B3 🚇M2号線大淵駅から徒歩3分 🏠南区UN平和路13番キ6 ☎(051) 627-1473 🕐10〜22時 (21時LO)〔日曜は〜20時、19時LO〕 🈂なし

Ⓑ 海雲台

ソクシウォナン テグタン
속씨원한 대구탕

さっぱり味のピリ辛タラスープ

大きめのタラの身はぷりぷりで、あっさり味のスープは体が温まる。イ・ビョンホンやキム・ヒョンジュンなどスターも訪れる有名店。MAP付録P9-D4 🚇M2号線海雲台駅から車で7分 🏠海雲台区タルマジキル62番キル28 ☎(051) 744-0238 🕐8〜15時、16〜21時 🈂なし 🈶英

Ⓒ 大淵

キムユスン テグポルチム
김유순대구뿔찜

たっぷりもやしとプリプリのタラ

テレビでも紹介される人気店。見た目は真っ赤だが、辛さは抑えめ。タラは淡白な味わいで、もやしやセリと一緒に食べると美味。MAP付録P2-B3 🚇M2号線大淵駅から徒歩2分 🏠南区モッコル路79-10 ☎(051) 627-4319 🕐11〜21時 🈂なし

↓プサンの刺身は鮮度が重要。ボリュームもあって満足感も高い

ナクチポックム
낙지볶음　タコの激辛炒め
辛さ ◖◖◖
テナガダコをネギなどの野菜と一緒に唐辛子とコチュジャンダレで炒めた辛い料理。 **E**

↓ソウルとは異なり、プサンでは煮汁を加えて煮込むのが特徴

フェ
회　刺身
韓国では白身魚が中心。コチュジャンにつけエゴマの葉などに巻いて食べるのが韓国式。 **D**

←刺身に約20種ものおかずが付いてくるコース料理W4万～

←牛骨のだしを加えて作るナクチポックムW1万3000（2人前～注文可）

テゲ
대게　ズワイガニ
ズワイガニは古くから韓国で愛されている食材。しっかり詰まったカニの身を味わって。 **H**

辛さ ◖◖◖

←ズワイガニを贅沢に使った釜飯W1万7000

➡シロサバフグが入ったフグチリW1万4000

ポッチリ
복지리　フグ鍋
フグのうま味が染み出し、上品な味わい。唐辛子を加えてメウンタンにしてもおいしい。 **F**

こちらもチェック

チヂミ
전／ジョン
韓国風お好み焼きで、日本ではチヂミとよばれるが韓国では「ジョン」が一般的。W1万1000。 **I**

刺身ククス
회국수／フェグクス
エイやカレイなどの刺身をのせた冷麺もポピュラー。コチュジャンダレと混ぜていただく。W8000。 **J**

D 広安里

キルスフェッチプ
길수횟집

新鮮魚介のオンパレード

店内から広安大橋が望める眺めのいい刺身店。2人前からオーダー可能なコース料理には、新鮮な海鮮がたっぷり使用されている。 MAP 付録P8-B2 Ⓜ2号線広安駅から車で8分
🏠水営区民楽水辺路103 2階 ☎ (051) 753-5369
🕐11～23時（土曜は～24時）🈵なし

E 東莱

元祖チョバンナクチ
원조조방낙지／●ウォンジョチョバンナクチ

辛いけどやみつきになる味

牛骨だしのスープで煮込むのがプサン式。やわらかい食感のテナガダコと後引く辛さが絶妙にマッチするのは、創業約50年の老舗ならでは。 MAP 付録P7-B4 Ⓜ4号線寿安駅から徒歩4分
🏠東莱区明倫路94番キル37 ☎ (051) 555-7763
🕐10時30分～15時、17～21時 🈵月曜 [百][麦]

F クムスポックク ……………… P69
G 影島海女村 ……………… P67
H ハンダソッ ……………… P71
I 鍾路ビンデトッ ……………… P79
J ハルメチプ ……………… P19

これぞプサン流冷麺! 市民たちのソウルフード

名物! 絶品ミルミョン

時間がないときや、ひとり旅でも重宝するのが麺料理専門店。
特にプサンのご当地麺、ミルミョンは必食! そのほかおなじみの冷麺や
カルグクスなど、韓国の麺料理をいただける人気店をご紹介。

> **ミルミョンとは…**
> 食糧難の時代に小麦粉から麺を作ったのが始まり。プサンの郷土料理のひとつとして人気がある。

西面

春夏秋冬
춘하추동 ● チュナチュドン

行列ができる人気ミルミョン店

プサン名物・小麦粉麺のミルミョン。唐辛子は特産地で知られる英陽産を使用するなど、国産の材料にこだわっている。韓方を煮出したスープは独特の味わいで、やや細めの麺はほどよいコシがある。

MAP 付録P2-A3 ⊗M1、2号線西面駅から徒歩10分 ㊐釜山鎮区西面文化路48-1 ☎（051）809-8659 ㊖10時～21時30分（2～9月は10～21時）㊡なし 白 英

➡地元の人や観光客で店内は常に賑わっている

➡ボリューム満点のミルミョンW9000

釜山駅

草梁ミルミョン
초량밀면 ● チョリャンミルミョン

韓方材入りの自家製ミルミョン

当日に仕入れる豚骨や鶏骨、桂皮、甘草などを入れ、3日間かけてじっくり煮込んだスープは奥深い味わい。野菜がたっぷり入った体にやさしいマンドゥも人気メニュー。

MAP 付録P3-A3 ⊗M1号線釜山駅から徒歩5分 ㊐東区中央大路225 ☎（051）462-1575 ㊖10～21時 ㊡なし

⬆ムルミルミョンW6500（小）。サイドメニューには食べごたえのあるワン（王）マンドゥ W6500が人気

⬆テーブル席と座敷スタイル両方あり

→ミルミョン(大)W9000。氷入りスープはさっぱりでシンプルな具材によく合う

南浦洞

ハルメカヤ ミルミョン
할매가야밀면

プサン名物ミルミョンの名店

もちっとした食感で日本のラーメンに似ている。サービスの韓方薬入りの牛骨スープも絶品。常連客もひっきりなしに訪れる。

MAP 付録P6-B4 ⊗M1号線南浦駅から徒歩5分 ⊕中区光復路56-14 ☎(051)246-3314 ⊕9時30分〜20時30分（夏季は〜21時30分）⊕なし ⏰ ⽂

西面

西面開琴ミルミョン
서면개금밀면●ソミョンケグムミルミョン

必ず食べたい、これぞプサンの味

プサンっ子に愛されている人気のミルミョン店。お昼どきや週末は行列ができることも。普通サイズでもボリュームたっぷり、だしの効いたスープとコシのある麺のコンビネーションは絶品。

MAP 付録P6-A2 ⊗M1、2号線西面駅から徒歩5分 ⊕釜山鎮区西面路68番キル39 ☎(051)802-0456 ⊕9〜22時（1〜4月は〜21時）⊕なし ⏰

↑ムルミルミョンW7500。コシがありさっぱりした食感で食べやすい
→ムルマンドゥ W5500。もちっとした皮に具材がたっぷり詰まっている

↑落ち着いた雰囲気の明るく広々とした店内

まだまだあります！ 韓国のオイシイご当地麺

カルグクス
小麦粉使用の太麺でうどんに似ている。スープのだしは魚介や肉類など。

↓カルグクスW6000。甘みのあるスープと弾力のある麺が人気

↓冷麺W1万。さっぱりとした水キムチスープの冷麺は喉ごし爽やか

冷麺（ネンミョン）
北朝鮮が発祥とされる。そば粉やデンプン粉を使用した麺が特徴。

↓煮干しだしのシンプルなスープとやわらかな麺は相性抜群

水（ムル）グクス
あっさりとしただしスープにそうめんを入れ、具材をトッピングした一品。

Ⓐ 西面
キジャンソン カルグクス
기장손칼국수

ホッとする素朴な味わい

西面市場の中にあるカルグクス専門店。手打ち麺とイワシだしのスープが評判。MAP 付録P6-A1 ⊗M1、2号線西面駅から徒歩5分 ⊕釜山鎮区西面路56 ☎(051)806-6832 ⊕9〜20時 ⊕なし ⏰ ⽂

Ⓑ 西面
ハムキョン麺屋
함경면옥●ハムギョンミョノク

酸味の効いた爽やかな味

水冷麺やビビム冷麺が楽しめる。お酢やマスタードを加えてアレンジしよう。MAP 付録P6-A1 ⊗M1、2号線西面駅から徒歩7分 ⊕釜山鎮区釜田路66番キル32 ☎(051)891-3000 ⊕11〜22時 ⊕なし ⏰ ⽂

Ⓒ 南浦洞
ハルメチプ
할매집

老舗の味を堪能する

煮干しだしのスープと麺のククスはシンプルな味わいながらクセになる。MAP 付録P6-B4 ⊗M1号線南浦駅から徒歩5分 ⊕中区南浦キル25-3 ☎(051)246-4741 ⊕11〜19時 ⊕火曜 ⏰ ⽂

せっかくだから食べてみたい

本日は贅沢に韓牛焼肉

和牛に比べてあっさりした味わいの韓牛（ハヌ）は、タンパク質やビタミン、ミネラルが豊富。
少し高めの価格だけど食べれば納得の味。
韓国を訪れたら一度は行ってみたい。

牛肉の各部位

肩ロース
目心/モクシム

ロース
脊身/トゥンシム

ヒレ
安心/アンシム

モモ
大接室/テジョッサル

バラ
갈비/カルビ

ともバラ
車돌박이/チャドルバギ

海雲台

一品韓牛
일품한우 ● イルプムハヌ

一度食べたらやみつきの高級牛

肉質がやわらかく、さっぱりとした国内最高ランク、1++の韓牛のみを
使用。メニューのなかでも特にオススメなのが脂肪分の多いチャドルバ
ギ。脂の甘さが絶妙。

MAP付録P9-C4 ⊗Ⓜ2号線海雲台駅
から徒歩9分 ⊕海雲台区海雲台路570
番キル49 ☎（051）747-9900 ⊛11
時30分～23時（日曜は～22時）⊛なし
自

➡臭みもなく
あっさりとし
ていて人気

한우차돌박이
韓牛チャドルバギ
W4万8000(100g)
2人前～注文可能

↑さっと炙るくらいでOK

한우양념갈비
韓牛味付け骨カルビ
W3万6000(150g)
他の肉も注文する場合は、
1人前～注文可能

西面

急行荘
급행장 ● クペンジャン

➡新鮮な韓牛のユッ
ケW3万(150g)

全国にも知られる老舗の焼肉店

60年以上続く老舗。人気のヤンニョムカルビは上
品な醤油ベースの味付けで、肉のうま味を引き出し
ている。7～8種付く無料のおかずは漬物やサラダ
のドレッシングまで自家製。

MAP付録P6-A1 ⊗Ⓜ1、2号線
西面駅からすぐ ⊕釜山鎮区西
面文化路4 ☎（051）809-2100
⊛11～22時 ⊛なし 自

↑テーブル席と掘りごた
つ式の席がある

安くておいしい韓国焼肉の定番

本場の豚焼肉にトライ

牛肉より手ごろな価格のため韓国で
焼肉といえば豚焼肉のことを指す。
日本にも定着したサムギョプサルから
ホルモンまで、豚焼肉を味わい尽くそう！

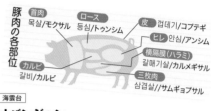

豚肉の各部位

- 首肉 목살/モクサル
- ロース 등심/トゥンシム
- 皮 껍데기/コプテギ
- ヒレ 안심/アンシム
- 横隔膜 (ハラミ) 갈매기살/カルメギサル
- カルビ 갈비/カルビ
- 三枚肉 삼겹살/サムギョプサル

↑うま味が強い豚肉は国内産を使用

生갈매기살
生カルメギサル
W1万3000(120g)
2人前〜注文可能

海雲台

オバンジャン
오반장

やわらかカルメギサルを堪能

生カルメギサル (ハラミ) が人気。やわらかさの秘
訣は厚めの豚肉に独特の切れ目を入れること。
中央で肉を、その周りでキムチなどを焼きながら
食べられるユニークな鍋もポイント。

MAP 付録P9-C4 ⊗ M2号線海雲台駅から徒歩3分
⊕海雲台区亀南路24番キル20 ☎ (051) 747-8085
⊕11時〜翌4時 ⊛なし

➡よく煮込まれた、シ
メにピッタリのテンジ
ャンチゲW6000
←焼いたキムチとサン
チュに包んでも美味

草梁洞

銀河カルビ
은하갈비●ウナガルビ

昔ながらのテジカルビ

創業50年以上の老舗豚カルビ
(メニュー表記はヤンニョムカル
ビ) 専門店。特製ダレで煮るよ
うに焼いたカルビは、濃厚な甘
みがよく染み込んでいて美味。

MAP 付録P3-A3 ⊗
M1号線草梁駅から
徒歩6分 ⊕東区草梁
中路86 ☎ (051)
467-4303 ⊕11〜22
時 ⊛第2火曜
⊕⊛⊕⊛

양념갈비
ヤンニョムカルビ
W1万1000(1人前)
2人前〜注文可能

↑味が濃いため他の部
位も注文する場合は後に
まわすのがおすすめ

←ご飯W1000と
味噌チゲW3000
も一緒に

How to Enjoy 焼肉

焼肉の食べ方って？

韓国の焼肉店では、野菜に巻いたり、味噌
ダレをつけるなどして食べるのが韓国スタイ
ル。記載の料金は1人前だが、注文は人数分
か2人前からという店が多い。

①肉をオーダー
タレに漬け込んだヤ
ンニョムカルビと、漬
け込んでいないセン
カルビがある。

②タレは2〜3種
塩や味噌ダレなど店によってタレはさまざま。好
みで大根やオニオンスライス、ネギと一緒に！

③野菜で巻く
サンチュやエゴマに肉を巻き、お好みでネギや
キムチ、にんにくをトッピングするのもよい。

↖スユッペッパン
W9000

↓地元の人や観光客からも人気

ぷるっ ツヤッ カラダの中から
美肌グルメでキレイ

韓国美人の美しさの源は"食にあり"といってもいいほど、韓国料理には健康フードが多い。おいしいものを食べてキレイになれる一石二鳥のグルメを紹介。

釜山駅

ポンジョンテジクッパ
본전돼지국밥

↓タロテジクッパW1万。アミの塩辛などで好みの味に

肉のやわらかさもGood！

1日熟成させ、うま味を凝縮させた豚肉を使用。24時間煮込んだスープは、奥深い味わいながらも、さっぱりとしているので豚骨スープが苦手な人でも完食できる。

MAP 付録P3-A3 🚇Ⓜ1号線釜山駅から徒歩4分 🏠東区中央大路214番キル3-8 ☎(051) 441-2946 🕘9時～20時30分 🈺なし 🈴 🈯

> **テジクッパ**
> ビタミンBが豊富な豚肉は肌再生に効果的。ビタミンBは水溶性なのでスープも飲みたい。
> ぷるツヤ度 … ★

↓コプチャンジョンゴルW4万（2～3人前）

←フワッと溶ける脂がやみつきに

南浦洞

プビョンヤンゴプチャン
부평양곱창

お腹いっぱいコプチャンを味わう

メディアにも登場する有名店。たっぷりのコプチャンと野菜を一緒に煮込んだピリ辛鍋や、塩焼きが人気。ボリューミーなのにリーズナブルなのも魅力のひとつ。

MAP 付録P4-A3 🚇Ⓜ1号線チャガルチ駅から徒歩5分 🏠中区富平2キル17 ☎(051) 245-6818 🕘11時～翌1時 🈺なし 🈴 🈯

←ご飯W2000を追加してチャーハンに

> **ホルモン**
> コラーゲンを含むタンパク質が多く含まれるホルモンを食べて、お肌ぷるぷるに！
> ぷるツヤ度 … ★★

シメはチャーハン

↑週末の夜は満席になることもある

↓滋味深いスープのソルロンタンW1万4000

熱々の牛骨スープが味わい深く、
素麺とごはんが入って食べごた
え抜群。コラーゲンもたっぷり

ソルロンタン
ぷるツヤ度 … ★★★★★

南浦洞

ソウルカクトゥギ
서울깍두기

1959年から愛される老舗

白いスープに牛肉と素麺、長ネギ、ごはんが入っ
たソルロンタンが自慢。カクトゥギ（カクテキ）とい
っしょに食べるとさらに食欲が刺激される。店内は
広く、一人でも入りやすい雰囲気。

MAP 付録P6-B4 ⊗M1号線南浦駅3番出口から徒歩
3分 ⊕中区九徳路34番キル8 ☎（051）245-3950
⊕8時～20時30分（LO20時）⊛なし

←清潔感のある広々とした店内

西面

コプチャンサロン
ヨンタングイ
곱창쌀롱연탄구이

BTSファンにも人気のコプチャン店

店名のヨンタングイとは「炭火焼き」のこと。練
炭で香りをつけたコプチャンが絶品。BTSのジ
ョングクゆかりの店としても知られている。

MAP 付録P2-A3 ⊗M2号線釜岩駅から
車で6分 ⊕釜山鎮区東平路223番キル
44 ☎（051）803-7787 ⊕17～24時（土
・日曜は16時30分～）⊛月曜 📖 🈁

→店の入り口に
はフォトブースも

コプチャン
牛の小腸。高タンパクでコレス
テロールの少ないスタミナ栄養食。
血液循環を促進し、疲労回復効果も
ぷるツヤ度 … ★★★

↑炭火で焼き上げた肉
はクセになる味わい。セ
ットの野菜と食べれば
さらに美肌に!?

コムジャンオ
日本ではヌタウナギといい
食べ慣れないが、タンパク質が
豊富で栄養価が高い。
ぷるツヤ度 … ★★

↑食べるとハマる人続出のコムジャンオグイW3万5000～

←ビビムバブ、テンジャ
ン、焼き魚の豪華なサー
ビスメニュー付き

海雲台

イルムナン機張サンコムジャンオ
이름난 기장산곰장어●イルムナンキジャンサンコムジャンオ

地元の人のエネルギー食

プサン名物のコムジャンオ（ヌタ
ウナギ）を楽しめるお店。コムジ
ャンオはプリプリの食感が特徴
的な韓国の定番スタミナ食。味
はタレと塩が選べる。

MAP 付録P9-C4 ⊗M2号線海
雲台駅から徒歩8分 ⊕海雲台
区亀南路41番キル42 ☎（051）
742-8201 ⊕14時30分～23時
50分（土・日曜は12時～）⊛
第1・3火曜 🈁 🈁 📖 🈁

専門ストリート・市場もチェック
屋台メシにチャレンジ

1：パッピンスの屋台が並ぶ　2：韓国風大学いものコグマママッタン　3：調理の様子が見られるのも屋台の醍醐味　4：お店の人との交流も楽しい

観光やショッピングの合間に小腹がすいたときにぴったりの屋台メシ。同じメニューの専門店が並ぶ通りは、各店がしのぎを削る激戦区だから味のレベルも高い。

キムパブ　김밥
野菜や玉子、たくあん、ツナなどが入った韓国風海苔巻き。

スンデ　순대
もち米や春雨を豚の腸に詰めたもの。塩をつけていただく。

オデン　오뎅
韓国でオデンといえば魚の練り物を指す。屋台の定番メニュー。

トッポッキ　떡볶이
韓国餅を甘辛のコチュジャンダレで煮込んだ定番メニュー。

ジョン　전
日本ではチヂミといわれる。ネギと海産物のジョンが一般的。

パッピンス　팥빙수
韓国風かき氷。小豆や果物、練乳をトッピング。3〜11月のみ販売。

タンパッチュ　단팥죽
小豆とうるち米を一緒に炊いたお粥。甘くないのが特徴。

ピンデトック　빈대떡
臼で挽いた緑豆とともに豚肉や白菜、ネギを焼いたおやき。

チャプチェ　잡채
韓国春雨をニンジンやキノコ、牛肉などと一緒に炒めた家庭料理。

ユブジョンゴル　유부전골
肉や春雨などを詰めた油揚げが入ったスープ。やさしい味わい。

ビビムダンミョン　비빔당면
春雨にたくあんや海苔などを入れ、コチュジャンと混ぜて食べる。

フェ　회
韓国の刺身は白身魚がほとんど。コチュジャンダレにつける。

ここで食べられます

ここもチェック

南浦洞
富平市場
부평시장
●ブピョンシジャン

多くの人で賑わう庶民派市場
お粥通りや豚足通りなどいくつかの専門店通りが集まる。通り沿いを歩くだけでも楽しい。
MAP 付録P4-A2 ⊗M1号線チャガルチ駅から徒歩7分 ⊕中区富平1キル48 ☎（050）7141-61131（代表）⊕9〜21時（夜市場は19時30分〜23時30分）⊛なし ※店舗により異なる

西面
西面屋台通り
서면포장마차거리
●ソミョンポジャンマチャゴリ

地元民に交じって屋台呑み！
夕方過ぎになるとロッテ百貨店裏に屋台が並ぶ。立地はもちろん、清潔でシンプルな造りで旅行者も利用しやすい。
MAP 付録P6-A1 ⊗M1、2号線西面駅から徒歩2分 ⊕ロッテ百貨店釜山本店裏 ☎なし ⊕16時〜翌5時 ⊛第2・最終週の月曜 ※店舗により異なる

海雲台
刺身通り
회거리
●フェゴリ

ホッとする素朴な味わい
テグタン（タラのスープ）や貝焼きのお店も充実しており、海鮮料理店の穴場スポット。海雲台遊覧船乗り場近くの通りで、観光客も多い。
MAP 付録P9-D4 ⊗M2号線海雲台駅から徒歩15分 ⊕海雲台区タルマジキル62番キル ☎なし ⊛店により異なる

How to Order@屋台

1.店を決める
通り沿いに並ぶ店のなかからチョイス。店の雰囲気やメニューなどで決めよう。

2.指差しOK！
食べたいものを「イゴジュセヨ（これください）」と指差しで伝えれば大丈夫。

3.会計
後払いが基本で食べた料理を自己申告する場合も。食べきれない場合は持ち帰りOK。

●**意外と高い！**
安いイメージのある屋台だが、店で食べる価格と変わらない場合もある。

●**支払いは現金メイン**
クレジットカードは使えないことが多いので注意。高額紙幣は避けよう。

駅チカがうれしい♡
おいしいチェーン店

滞在中に便利なのが韓国発チェーン店。手軽に韓国料理が食べられて、注文も簡単。
安定感のある味わいとコスパのよさも魅力のひとつ。

チェーン店の
ココがGood
2つの
1 駅から
アクセスしやすい
2 価格がお手頃

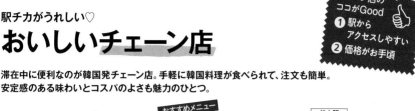

おすすめメニュー
1 ソコギキムパプ　W4000
2 マンドゥラーメン　W5000
3 キムチチャーハン　W7000

キムパプ　W3000～
ツナキムパプW4000も人気

女性1人でも気軽
に利用できる

釜山駅
キムパプ天国
김밥천국 ● キムパプチョングク

小腹がすいたときに使える

キムパプやラーメン、トッポッキなどの軽
食が食べられるブンシク店。オーソドック
スなものからチーズや野菜たっぷりのも
のまでキムパプの種類も多い。テイクア
ウトも可能。
MAP付録P3-A3 ⊗M1号線釜山駅から
徒歩1分 ⊕東区中央大路203 ☎(051)
468-8255 ⏰9～21時 ㊡なし 回复

釜山大
マンナカムジャタン
맛나감자탕

野菜てんこ盛りでヘルシー

骨付き牛肉を辛めのスープで煮込んだ
カムジャタンの有名店で、全国にチェー
ン展開。エゴマの葉、春雨、エノキなど
野菜たっぷり、よく煮込まれたジャガイモ
もおいしい。MAP付録P7-B1 ⊗M1号線
釜山大学駅から徒歩3分 ⊕金井区長箭
温泉川路73 2階 ☎(051) 512-8289
⏰11時～21時30分 ㊡なし 回复

ブサンだけでも10店舗
以上ある人気チェーン店

おすすめメニュー
1 マンナカムジャタン
W3万4000～
2 マンナビョチム
W3万2000～
3 海鮮ビョチム
W3万5000～

カムジャタン　W3万4000～
肉を春雨とからめ、辛子ソースで
いただく。ジャガイモは最後に

CAFÉ ADAGIO

PARIS BAGUETTE

韓国全土にある定番ベー
カリーは安定のおいしさ

気軽に種類豊富なパンを楽しめる。
小休憩にもおすすめ

南浦洞
パリバケット
釜山南浦店
파리바게뜨 부산남포점 ● PARIS BAGUETTE 釜山南浦店

韓国発のベーカリーチェーン

サンドウィッチやサラダ、ドリンク類がそろ
い朝食にぴったり。種類豊富で価格も手
ごろ。温かいスープなどもあり、手軽にラ
ンチを食べたい時にも立ち寄りたい。
MAP付録P6-B4 ⊗M1号線南浦駅から
徒歩4分 ⊕中区九徳路42 ☎(0507)
1390-8309 ⏰7～23時(ラストオーダー
は22時) ㊡なし

◀金塊を模した
米粉100%のフィ
ナンシェ W1
万4000

プサンで急増中！ 女子も男子も夢中
おしゃれカフェ事情

ソウルと同様に、プサンでもおしゃれなカフェが続々とオープン。
スイーツに加え、盛り付ける器やインテリアにもこだわっている
居心地のいい空間で、のんびりカフェタイムを楽しみたい。

➡ベリーやラベンダーの
ドリンクBTSはW1万

A 中央駅 コーヒー＆ティー

カサブサノ
釜山近現代歴史館店
까사부사노 부산근현대역사관점
●CASA BUSANO 釜山近現代歴史館店

文化財が残るオシャレカフェ

保存文化財である銀行跡地をリノベーションしたカ
フェ。地下1階は金庫室などが無料で見られる博物
館として公開。カップはローカル作家とのコラボ作
品を使うなど、プサンを盛り上げる工夫も。

MAP 付録P4-B2 ⊗ Ⓜ1号線中央駅から徒歩8分 ⊕中区
大庁路112 ☎(0507)1339-6349 ⊕9〜21時 ⊛月曜 ⊗

➡併設ショップではギフトも販売

⬆バーカウンターのようなシックで落ち着いた雰囲気

◀白で統一されたシンプルな
空間に暖かい照明が映える

B 南浦洞 パブロバ

リライカフェ
릴라이카페 ●R_ELY CAFE

たっぷりフルーツの甘さを楽しむ

店名には客が安心して食べられるスイーツを提供するという意味が込められている。ワッフルのほか、ニュージーランド発祥のパブロバも人気。

MAP 付録P6-A4 ⊗ Ⓜ1号線チャガルチ
駅から徒歩8分 ⊕中区光復路32-2 2階
☎(0507)1301-8218 ⊕12〜22時(21
時LO) ⊛なし

➡さっぱりした甘
さのブドウエイド
W6500

◀軽やかな口当たりのメレンゲで
作られたパブロバW1万4000

➡フルーツたっ
ぷりのワッフル
W1万7000

C 厳弓洞 餅スイーツ

オフン
어훈

斬新で美味な餅スイーツ

「若い人にも親しみやすいトッ(餅)スイーツ」を目指し、兄弟二人三脚で営む。体にやさしい食材で作られた各メニューは自然の甘さが感じられる。

MAP 付録P2-A3 Ⓜ2号線周礼駅から車で15分 住沙上区厳弓路206 2階 ☎(051)816-5950 時8〜18時 休日曜

↑もち米ケーキのホドゥチャルトッパイ W2600

↑店内は温かみのあるほっこり系

➡もち米をワッフルにしたサルプルW4000

D 釜山大 映えスイーツ

メゾン・ド・ダウォル
메종드다월●MAISON DE DAWL

ファンタジーなスイーツがウリ

釜山大エリアにある、パティシエが作るこだわりのスイーツが楽しめるカフェ。味だけでなく見た目も特別感があり地元でも大人気。ピンクのインテリアで統一された、隠れ家のような雰囲気が素敵。

MAP 付録P2-B2 Ⓜ1号線長箭駅から徒歩5分 住金井区中央大路1719番キル 20-14 ☎(051)583-8819 時11〜20時 休なし 日夏

↓やさしい甘さがくせになるニューヨークバニラバナナプリン W8000

↓一軒家を改装。緑あふれるテラス席も気持ちがいい

B 広安里 チーズケーキ

チーズフォーム広安里
치즈폼 광안리●cheese form 広安里

ブルー尽くしの爽やかな写真が撮れる

ビーチが目の前のロケーション。波をイメージした生クリームW2500をかけたチーズケーキW4500をビーチと共に撮影するのがおすすめ。

MAP 付録P8-A3 Ⓜ2号線金蓮山駅から徒歩11分 住水営区広安海辺路197 2階 ☎(0507)1388-6227 時11〜23時 休なし

↑眺めの良い窓際のテーブル席でビーチとともに写真を撮ろう

チーズケーキの味はアールグレイ、抹茶など全5種類。ブルーレモンエイドW6500もおすすめ

F 西面 ワッフル

モダンテーブル
모던테이블●MODERN TABLE

スイーツが自慢の人気カフェ

季節のフルーツをふんだんに使ったスイーツが評判。インテリアにもこだわっており、繁華街の一角にありながらも広々とした席でくつろげるのがうれしい。

MAP 付録P6-B2 Ⓜ1号線西面駅から徒歩3分 住釜山鎮区中央大路680番ギル45-93 ☎(051)809-0301 時12〜23時(22時LO) 休なし

↓大きなイチゴのストロベリーワッフル W2万1800

←ソファ席がたくさんあるのでゆったりくつろげる

これは別腹です♥あま〜い誘惑

コリアンスイーツ大集合

流行の韓国スイーツは、おいしいだけじゃなく見た目もキュート！
人気の定番から話題の新作まで、女子必食のメニューをご紹介。

薬菓アイスクリーム
W6000
薬果は小麦粉に蜂蜜などを混ぜて揚げた伝統菓子。天然蜂蜜を使ったアイスと相性バツグン **B**

韓国で定番人気！

パッピンス
W4000
粗めのかき氷にミルク、たっぷりの小豆、抹茶をのせたピンス **A**

ほどよい抹茶の苦みがアクセントに

インジョルミトースト
W4500
トーストでインジョルミ（きなこ餅）を挟んだユニークな一品 **E**

プンオパン
W2900〜
フナ焼きと呼ばれる韓国版たい焼き。手頃なおやつにぴったり **C**

少量のミルクが味の決め手

オフンピンス
W5000
小豆、きな粉、餅が揃った懐かしい味のパッピンス **D**

「パッ」は韓国語で小豆のこと

オフンダンパッフォンデュ **W7000**
小豆ソースに餅をつけて食べる韓洋がミックスしたデザート **D**

屋台スイーツもCHECK！
行列のできる屋台スイーツは韓国名物。できたてのスイーツを食べ歩きしちゃおう。

タンフル
韓国で大人気のフルーツ飴。薄くコーティングされたパリパリの飴とジューシーなフルーツが絶妙にマッチ！イチゴやシャインマスカットなど種類も豊富。

ホットック
小麦粉を練った生地に具を包んで焼く、韓国屋台スイーツの代表格。具に黒蜜やチャプチェを使ったもの、ナッツをトッピングしたものなど、種類も豊富。

ココで食べられる
- **A** 宝城緑茶… **P81**
- **B** ミルラク・ザ・マーケット… **P70**
- **C** カップナッツ影島店… **P67**
- **D** オフン… **P27**
- **E** ソルビン… **P81**

Topic 2

おかいもの
Shopping

おしゃれな店が軒を連ねるプサンには
ショッピングスポットが満載。コスメからファッション、
グルメみやげまでマストなアイテムをセレクト。

今アツい店やアイテムが新世界センタムシティに集合!

ファッショントレンドショッピング

複合デパート・新世界センタムシティの地下2階にオープンしたハイパーグラウンド。
韓国発のブランドや日本未上陸の海外ブランドなど、日本では手に入らないアイテムが揃う。
欲しいブランドを狙い撃ちしよう。

CHECK!

新世界センタムシティ ハイパーグラウンドに注目

2023年に地下2階にオープンした新フロア。MZ世代をターゲットに、感度の高いブランドが多数集結。ファッションだけでなく、輸入菓子を扱っているカフェやおしゃれでカジュアルなレストランなどもある。

MAP 付録P8-B1 ⊗M2号線センタムシティ駅直結 ⊕新世界センタムシティ(→P38)B2階 ☎(051) 745-1234 ⊕10時30分～20時(金～日曜は、～20時30分) ⊕なし

エミス
이미스 ●emis

ポップなデザインにロゴを組み合わせたアイテムが有名。キャップやスポーツウェアなどが充実している。

←カジュアルコーデの主役になるキャップ。カラーバリエーションも豊富

←カジュアルにもガーリーにもしっくりくるキュートなハート形バッグ

インスタントファンク
인스턴트펑크 ●INSTANTFUNK

クラシックな女性らしさとファンキーさを融合させたデザインが人気。ロゴ入りのアイテムも売れ筋。

▶レイヤースタイルなので、これ1枚でコーディネートが完成。W28万2000

↑チョコミントのようなカラーがかわいいハンドバッグ。W13万2000

↑パステルピンクのスウェットW8万9000
←レザー調ジャケットW26万5000

マリテ フランソワ ジルボー

마리떼프랑소와저버
●MARITHÉ FRANCOIS GIRBAUD

フランスのブランドだが、韓国で人気に火がつき、数店舗展開。ロゴ入りのスウェットは上品に着られる。

← 小ぶりサイズがおしゃれ感を演出。リブニットトート各W6万9000

→ 刺繍でロゴが入ったボリュームのあるスウェットシャツW10万9000

← 大人めカジュアルな装いに。クラシックロゴダッフルバッグW10万9000

→ レディース、メンズ、キッズが揃うので家族でコーディネートしたい

スタンドオイル

스탠드오일
●STAND OIL

4階にあるクラシックなフォルムとタイムレスなデザインがテーマのブランド。

↑ 機能性と美しさを兼ね備えたビーガンレザーのバッグ ← 上品にディスプレイされている店内。バッグのほか、財布やカードケースなどのファッション小物を扱っている

アルケット

아르켓●ARKET

H&Mの新業態ブランド。人びとの生活に長く寄り添うウェアを展開。シンプルでありながら遊び心のある色づかいで個性を演出。

← シンプルだからこそ、自分ならではのコーディネートが楽しめる

← キッズファッションも取り揃える。着心地の良さもうれしい

← 広々とした売り場でゆったりと買い物できる。店舗にはカフェもある

売れ筋&定番はこれ♡ inプサン
噂の韓国コスメ

プサンに行ったら必ず手に入れたいのが、
プチプラでトレンド感バッチリの優秀コスメ。
流行の最先端、韓国コスメのショッピングはマスト！
友達の分もぜひ大人買いを。

↓光沢のあるしっとり肌
が1日中続く。これ1本で
トーンアップからUVケア
までできる／シグネチャー・
リアル・コンプリート・BBク
リームEX W2万5000…**A**

EYE

←宝石のようにキラキラのラメ
を上まぶたの中央にのせると、
うるうるの瞳を演出できる／
グリッター・プリズム W1万…**A**

↑夏の日差しによって目立つ
毛穴や肌のデコボコをカバー
してくれる日焼け止め／UV
アクティブ・ポアレス・サンスクリ
ーン W1万8200…**B**

BASE

➡全18色のパレット。マットな
色からグリッターまで、さまざま
な質感を楽しめる／デイジークの
シャドウパレット W3万4000…**E**

↓カバー力がありコンシーラーい
らず。厚塗りにならず、自然な仕上
がりになる／ヒンスのセカンドスキン
ファンデーション W3万6000…**E**

↑ロングとカールの2本セットで
理想のまつげに。ビオチンがまつ
げに栄養を補給／ラッシュ・コレク
ティング・マスカラ W1万6000…**D**

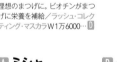

←使いやすいカラーのマッ
トとラメがバランス良く入っ
ている／マイフェイブムードア
イパレット W2万8000…**D**

↑カバーしながら
素肌感のある仕上
がりにしてくれる
／ダブルラスティン
グ・ファンデーション
W2万9000…**C**

A ミシャ
西面地下3号店

미샤●MISSHA

オンライン専門から出発し、単
独店舗という独自スタイルを作
った。洗練されたデザインと豊
富なカラー展開が人気の秘訣。
MAP 付録P6-A1 ⊗M1、2号線
西面駅から徒歩7分 ⊕釜山鎮
区伽耶大路777 中央モールJ1号
☎(051) 803-3372 ⊕10時～
20時20分 ⊕なし

B イニスフリー
西面ロデオ店

이니스프리 서면로데오점
●INNISFREE 西面ロデオ店

優秀なコスメが豊富でリピータ
ーも多い。済州島の自然で育
まれた植物由来のコスメが魅
力。環境保護にも精力的に取
り組んでいる。
MAP 付録P6-B2 ⊗M2号線田
浦から徒歩4分 ⊕釜山鎮区田
浦大路199番キル12 ☎(051)942-
6863 ⊕11～22
時 (日曜は12～
21時) ⊕なし

C エチュード
大峴店

에뛰드
●ETUDE

ラブリーな店内とパッケージが
人気。アモーレパシフィック社
のファミリーブランドで、日本で
も高い支持を得ている。
MAP 付録P6-A1 ⊗M1、2号線
西面駅地下直結 ⊕釜山鎮区中
央大路717 西面モール5列7号
☎(051) 804-9078 ⊕11～22
時 ⊕第1火曜

D ホリカホリカ
西面モール店

홀리카홀리카 서면몰점
●Holika Holika 西面モール店

コスメブランド「エンプラニ」の
セカンドライン。童話に出てくる
ような、美しく変身させてくれる
「魔法の化粧品」がコンセプト。
MAP 付録P6-A1 ⊗M1、2号線
西面駅地下直結 ⊕釜山鎮区中
央大路717 西面モール2列28号
☎(051) 817-0081 ⊕10～22
時 ⊕第1火曜

CHEEK & SHADING

➡チークだけでなく、アイシャドウやリップとしても使える、クリーミーなマルチバーム／ディア・ダリアのパラダイス・デュアル・パレットW2万7000…**F**

⬆上下の色を混ぜて使うシェーディングパウダー。ブルベ、イエベ向きのカラーがある／コントゥア・パウダーW2万…**C**

⬇ナチュラルなパールが入ってほわっと色づく／ハートポップブラッシャーW1万3000…**C**

LIP

⬇潤い感のあるつけ心地でムラなくフィット。斜めカットのチップで塗りやすい／ピンスのスリムフィット・リキッド・ベルベットW1万9000…**E**

⬆マットな質感のリップ。絵の具のようなビジュアルが話題に／ムジゲ・マンションのオブジェリキッド各W1万8000…**E**

BODY CARE

➡ハンドとボディの両方に使えるエマルジョン。肌に水分をしっかり補給してくれる／パフュームド・ハンド＆ボディ・エマルジョンW4万3000…**H**

⬇貝殻をイメージしたパッケージのパフュームハンド。一番人気の香り／CHAMO(カモ)W3万2000…**G**

⬅人気のハンドクリーム。ジェントルナイトの香りが人気／ハンドクリームW2万3000…**H**

⬅ノーズ＆フェイスシャドウに使えるシェーディングパウダー。色を混ぜて調整して／ペリペラのインクVシェーディングW1万6000…**E**

E ## オリーブヤング 西面駅舎店

올리브영서면역사점
●OLIVEYOUNG西面駅舎店

人気コスメを幅広く展開する韓国のドラッグストア。コスメのみならず、お菓子や香水、サプリメントなども手頃な価格で販売している。

MAP 付録P6-A1 ⊗M1、2号線西面駅直結 ☎釜山鎮区中央大路730 西面駅構内2-02 ☎(051)802-1410 ⏰9〜23時 ㊡なし ㉺

F ## シコル センタムシティ店

시코르센텀시티점
●CHICOR センタム シティ店

新世界百貨店がプロデュースしているビューティーマルチショップ。海外のラグジュアリーコスメブランドから韓国ブランドまで充実。

MAP 付録P8-B1 ⊗M2号線センタムシティ駅直結 ☎海雲台区センタム4路15 新世界センタムシティモールB2階 ☎(051)745-2020 ⏰10時30分〜20時(金〜日曜〜20時30分) ㊡なし

G ## タンバリンズ

탬버린즈
●TAMBURINS

高級感のあるパッケージが話題のフレグランスブランド。香水のようなハンドクリームが有名で、プレゼントとしても人気。

MAP 付録P8-B1 ⊗M2号線センタムシティ駅直結 ☎海雲台区センタム南大路35 新世界センタムシティ1階 ☎(0507)1344-1398 ⏰10時30分〜20時(金〜日曜〜20時30分) ㊡なし

H ## ノンフィクション

논픽션
●NONFICTION

香りを媒介として内面の力を表現する韓国発ブランド。厳選された植物性原料の香水やボディケアアイテムが揃う。

MAP 付録P8-B1 ⊗M2号線センタムシティ駅直結 ☎海雲台区センタム南大路35 新世界センタムシティ1階 ☎(051)745-1443 ⏰10時30分〜20時(金〜日曜は〜20時30分) ㊡なし

コスパ抜群! スーパーで調達する

人気のザ・韓国みやげ

定番から話題の新商品まで、グルメみやげの選りすぐりをご紹介。
安くまとめ買いできるスーパーはユニークな品もいっぱい!

スーパーなら…
菓子やインスタント麺など、バラマキみやげにぴったりのアイテムがそろう。韓国の家庭の味が再現できちゃう調味料も人気。

調味料

豚プルコギソース A
W3080
フルーツの甘みを感じられる辛口だれ。豚肉を揉みこみ、1時間ほど漬け込んでからフライパンで焼こう

ごま油 A
W1万1480
味が濃く、風味のよいごま油。塩を入れて焼肉のたれに、キムチに数滴落としても◎

コチュジャン
(60g×3本) C
W9500
韓国料理には欠かせないコチュジャン。使い切りのチューブタイプが人気

サムジャン A
W2980
リンゴや梅などを使用した風味豊かなサムジャン。パウチタイプなので使いやすい

食材

カップご飯 A
W3980
ご飯とソースが入っていて、電子レンジで温めるとカップごはんが完成。写真はタッカルビ丼

チャプチェ A
W5980
お湯で茹でて作るインスタントのチャプチェ。かやく、タレ、ごま油の袋が入っている

ドライマンゴー A
W9990
小腹が空いた時にちょうどいいサイズ。ビタミンが豊富なので、美容にもうれしいおやつ

乾燥ナツメ A
W4490
老化防止や免疫力の向上にもよいとされるナツメ。噛みごたえがあって食べ過ぎ防止にもなる

ソッパン B
W1万4980 (8個入り)
レンジでチンするレトルトご飯。写真はハチミツ入りおこわ。ホテルでも手軽に食べられる

人気No.1のみやげ
韓国海苔
手軽でバラマキみやげにも最適。定番からスナックまで種類豊富。

定番
キムパブ用海苔 C
W2490
キムパブ専用の海苔。キムパブ用にカットされているので、そのまますぐに使うことができる

エゴマ油入り海苔 A
定番
W5780
エゴマ油の風味が香る海苔。おやつやおつまみはもちろん、料理のトッピングにも使える

韓国海苔天 D
W2380
サクサク食感がやみつきのおつまみ。海苔にもち米を塗った後に軽く揚げたもの
人気

菓子

リアルブラウニー Ⓐ
W4800

厳選したカカオ豆からつくられたチョコレートをたっぷり使用。しっとり食感のブラウニー

カスタードケーキ Ⓑ
W4780

日本でもおなじみのカスタードクリームケーキ。時期によっては限定のフレーバーが見つかる場合も

チュロス Ⓑ
W2380

シナモンの味と香りがしっかりするチュロスのお菓子。メープルシロップの甘みも感じられる

ポト Ⓑ
W4240

塩気の利いたチーズがサンドされた、香ばしいサクサクのクラッカータイプのお菓子

ハニーバターチップ Ⓑ
W2720

ハチミツとバター風味のチップス。一度食べ始めたら止まらないくせになる味わい

ノガリチップ Ⓐ
W2720

ノガリはスケトウダラのこと。魚の風味にマヨネーズがマッチするハラペーニョマヨ味

コーヒー＆お茶

コーヒースティック Ⓓ
W4750

マキシムのモカゴールドマイルド。お湯を注げば簡単に味わい深いコーヒーができる

ルイボスミントブレンドティー Ⓑ
W2980

ノンカフェインのハーブティー。ルイボスティーにミントがプラスされ、爽やかな飲み心地

ハチミツナツメ茶 Ⓓ
W7480

お湯に溶かすだけの毎日手軽に飲めるナツメ茶。アカシアハチミツ入りでやさしい甘さ

KANUラテスティック Ⓑ
W4600

エスプレッソ方式で抽出したコーヒーとフレッシュで濃いミルク味を加えたラテコーヒー

買い物アドバイス

●買い物袋は要持参!

韓国のスーパーでは買い物袋の販売・配布が禁止されているため、エコバッグを持参しよう。

●日本への持ち込み禁止品をチェック

肉類、肉加工品は基本的に日本への持ち込みが禁止。現地で味見する程度にとどめよう。

ココで買える

Ⓐ ロッテマート 光復店… **P82**
Ⓑ Eマート海雲台店… **P84**
Ⓒ ホームプラス センタムシティ店… **P84**
Ⓓ SSGフードマーケット
　　センタムシティ店… **P38**

キュートなアイテムは見逃せない！

プサン雑貨ショップ

プサンならではの雑貨が並んだセンスのよいショップは要チェック！
こだわりのインテリアが光る雑貨店を巡って、プサン旅を充実させよう。

➡白を基調にした店内に、ポップな色使いのアイテムが映える

【海雲台】

ルフトマンション
루프트맨션●Luft Mansion

トートバッグが人気のショップ

おしゃれな店が立ち並ぶ、海雲台駅からすぐのヘリダンキルに位置するライフスタイルショップ。10色展開する人気のトートバッグのほか、キーホルダーなどオリジナルアイテムも扱う。

MAP 付録P9-C3 Ⓜ2号線海雲台駅から徒歩5分 ㊀海雲台区佑洞1路38番ガキル1 2階 ☎ (051) 746-0419 ㊞11〜18時 ㊡なし ㊈㊩

➡ナチュラルテイストの店内は洗練されている

➡サステナブルの定番アイテム、エコバッグW2万8000

Luft

←BAGGUやFALCONのアイテムも充実している

↑店のロゴが入ったトートバッグW3万2000。アイボリーの色味がやさしい

【広安里】

ラブイズギビング
러브이즈기빙●Love is giving

女の子らしいアイテムの宝庫

生花を扱うカラフルでキュートな雑貨屋。広安大橋やビーチをモチーフにしたアイテムが多いので、旅の思い出となるおみやげも買える。造花のチューリップを買ってビーチで映える写真を撮る人も多い。

MAP 付録P8-A2 Ⓜ2号線広安駅から徒歩10分 ㊀水営区広安路49番キル24 ☎ (010) 9723-1426 ㊞12〜20時 ㊡木曜

↑挟むだけで簡単にヘアアレンジできるふわふわのヘアクリップ各W6000

←↓収納するとパンの形になるユニークなエコバッグ W8000

→透明のガラス製ピッチャー W1万4800。好きなドリンクを入れるだけで映える

【西面】

ブラケットテーブル
브라켓테이블 ●Bracket table

料理好きは見逃せないショップ

白とウッド調のインテリアで統一された空間は、まるでヨーロッパのような雰囲気。たくさんの食器に加え、鍋やティーポット、テーブルクロスなど、キッチングッズが充実している。

MAP 付録P3-B1 ⊗M2号線田浦駅から徒歩3分 ⊕釜山鎮区西田路68番キル109 1階 ☎(070) 4150-0999 ⊕12〜20時 ⊕なし

↑個性的なカトラリーはついまとめ買いしたくなる

色違いで揃えたくなる食器

↑店の隅々まで洗練されたディスプレイが目を引く

【西面】

アビベルカンパニー
아비베르컴퍼니 ●AVIVERE Company

おしゃれ雑貨のセレクトショップ

インテリア雑貨のショップ。帽子やアクセサリーのほか、食器の品ぞろえが豊富。店内のディスプレイも可愛いのでインテリアの参考になる。

MAP 付録P6-B2 ⊗M1、2号線西面駅から徒歩6分 ⊕釜山鎮区東川路66 ☎(010) 4453-0987 ⊕11〜23時 ⊕なし

↑ディフューザーやアクセサリーなど、アイテムのバリエーションが多彩

韓国ブランドを中心にセレクトされた雑貨。特に食器の種類が多く、いくつもほしくなる

【西面】

マ ベル ミニョン
마벨미뇽 ●Ma belle Mignon

女子ウケ抜群の雑貨がそろう

アクセサリーやピアス、ポストカードや文房具など、かわいらしい雑貨が充実。おしゃれな食器やインテリアも豊富で、韓国らしい感性たっぷりのアイテムが揃う。

MAP 付録P6-B2 ⊗M2号線田浦駅から徒歩すぐ ⊕釜山鎮区西田路58番キル94 ☎(010) 2734-9883 ⊕12〜20時 ⊕なし

↑ロゴが入った靴下 各W4500

←柔らかな光の照明に照らされた店内には、かわいい小物を求めて地元の人も訪れる

女子の好き♡をすべて叶える!?複合デパート

新世界センタムシティ

ショッピング、カフェ、グルメ、スパなど、女子注目の施設が
ギュッと集まったホットスポット。人気の韓国ブランドも充実!

新世界センタムシティ
신세계 센텀시티 ●シンセゲ セントムシティ

センタムシティのランドマーク的存在である世
界最大級のデパート。ショッピングに便利なサ
ービスも充実しており、一日中いても楽しめる。

MAP 付録P8-B1 ⊗M2号線センタムシティ駅直結
㊟海雲台区センタム南大路35 ☎ (051) 745-1234
㊐10時30分〜20時（金〜日曜は〜20時30分）、アイ
スリンクは〜18時※最終入場17時（金〜日曜は〜20
時30分※最終入場19時30分）㊡なし ㊐英

▲スパや映画館などのレジャー施設も併設

↓➡「センタムシティ百貨店」と
「センタムシティモール」が連結
している

FLOOR GUIDE

百貨店

11-14F	会員制モギチェアパ・ゴルフパーク	ゴルフレンジ
9F	ZOORAJI	TRINITYクラブ&スパ／専門レストラン街／文化ホール
8F	家具/インテリア	
7F	ホームファッション/電子機器/映画館	
6F	キッズ/ゴルフ/ギャラリー	6階に沿わせている
5F	メンズ/シネ・ド・シェフ	ゾーンに分かれている
4F	ニューコンテンポラリー/フードパーク/アイスリンク／ランジェリー	直結通路
3F	コンテンポラリー/国内女性ブランド	直結通路
2F	海外有名ブランド/ウォッチ/レディース	
1F	新世界スパランド/案内デスク／海外有名ブランド/コスメ/ベビーカーレンタル	
B1	フードマーケット/ファッション雑貨／ハンドバッグ/イベントホール	
B2	ハイパーグラウンド/駐車場/ロッカールーム	
B3	駐車場	
B4	駐車場	直結通路（現在工事してます）

センタムシティモール

スカイガーデン	PSA	7F
キッザニア	出口＆エレベーターは各階案内図参照	6F
キッザニア		5F
	パミエステーション/キッザニア	4F
	ライフスタイル/カシミア	3F
	スポーツ/カジュアル	2F
	スポーツ/アウトドア	1F
新世界ファクトリーストア/本屋／免税店	免税品をGETできるコーナーも	B1
中央広場		B2
駐車場	新世界グループ系列のアウトレット	B3
		B4-5

コスメから海外ブランドまで
世界最大級のショッピングフロア

ファッションアイテムや、書籍などオ
ールジャンルの買い物が楽しめる。

コスメフロア

➡国内・海外の
最旬コスメが揃
っている

ファッションフロア

↑ヤングカジュアルファッシ
ョンも充実。手に取りやす
い価格帯のものも多い

永豊文庫

◀モール地下2階に
ある大型書店。本以
外にもK-POPのCD
なども販売している

高級チムジルバンで美肌に
新世界スパランド

2種の天然水を使った大型ス
パ。種類豊富なサウナやチムジ
ルバンで旅の疲れを癒そう。
美容にも効果アリ。(→P44)

◀伝統的なサ
ウナ、汗蒸幕
はデトックス
効果抜群

➡多彩なサウ
ナ、休憩所、
マッサージな
ど設備も充実

デートスポットとしても使える
カルチャー&レジャー施設

ショッピング施設だけではなく、
大型シネマコンプレックスのCGV
やスケートリンクもあり、一日中楽
しめる。

◀大型シネコンは
百貨店7階にある

◀水営江
が望めるス
ケートリン
ク

フードコート&食みやげはここで!

フードパーク

百貨店4階に
あるフードパー
ク。小腹が
減ったら休憩
がてらGO!

SSG フードマーケット センタムシティ店

キムチ、海苔など韓国の定番食材をはじめ、菓
子や惣菜も人気。充実の品ぞろえでおみやげの
まとめ買いにいい。(→P35)

◀ココでしか
買えないプレ
ミアムブランド
もある

ポイントをチェックしてまとめ買い

2大免税店徹底比較

海外でのショッピングに欠かせないのが免税店。
憧れの高級ブランド品や、日本未入荷のレアアイテムをお得にゲットしよう。

入店ブランドを
チェック！

西面

ロッテ免税店 釜山店
롯데면세점 부산점
● ロッテミョンセジョム ブサンジョム

アクセス便利な人気免税店

西面駅直結のロッテ百貨店7、8階に位置。シャネルやエルメス、プラダなど約200種類の世界有名ブランドを取り揃えている。ホテル、映画館も隣接している。

MAP 付録P6-A1 ⊗M1、2号線西面駅から徒歩3分 ⊕釜山鎮区伽倻大路772 ロッテ百貨店釜山本店7、8階 ☎1688-3000 ⊕9時30分～18時30分 ⊛なし 🅙🄴 🄳🄴

➡オーガニック素材の万能保湿クリーム、リジュランターンオーバークリーム $23

➡ステッチがアクセントのデニムキャップ $74

➡肌本来の美しさを引き出す美容液、リジュラン ターン オーバーアンプル $42

センタムシティ

新世界免税店 釜山店
신세계면세점 부산점
● シンセゲミョンセジョム ブサンジョム

センタムシティのランドマーク

新世界百貨店センタムシティ店が拡張される形で生まれた、センタムシティモールの地下1階にある免税店。雨天でも一日中ショッピングを楽しめる。

MAP 付録P8-B1 ⊗M2号線センタムシティ駅直結 ⊕海雲台区センタム4路15 新世界百貨店センタムシティモール地下1階 ☎(1661)8778 ⊕10時30分～18時30分 ⊛なし 🅙🄴

←エルメス、プラダなどの海外ブランドのほか、国内ブランドも充実している

↑ポリカーボネート製のコンパクトで機能的なキャリー $314（左）、$296（右）

	ロッテ免税店	新世界免税店
クロエ	○	○
シャネル	○	
エルメス	○	○
プラダ	○	○
ティファニー	○	○
グッチ	○	○
ボッテガ・ヴェネタ	○	○
ミュウミュウ	○	○
フェンディ	○	○
トゥミ	○	○
バーバリー	○	○
フェラガモ	○	○
トリーバーチ	○	○
クリスチャンディオール	○	○
カルティエ	○	
カルバンクライン	○	○
マークジェイコブス	○	○
トッズ	○	○
コーチ	○	○
MCM	○	○
ホールスミス	○	○
ヒューゴボス	○	○
バリー	○	○
マックスマーラ	○	○
イブサンローラン	○	○

免税店利用のコツ	パスポートは必携	購入時間に注意	日本円もOK
	商品購入時にはパスポートの提示が求められる。出発便の便名・時間も聞かれるので、控えておこう	免税品は空港で受け取るので、出発の5時間前くらいまでに購入を済ませよう。午前便なら前日20時ごろまでに	ほとんどの免税店でUSドルや日本円が使用可能。ウォンの残額が不安なら日本円で支払いをしよう

一日過ごせる充実スポット

アウトレットでお得に買い物

ショッピング目当てならアウトレットモールは要チェック。
有名ブランドの商品をお得にゲットできるのはもちろん、
食堂街やエンタメ施設もあり一日楽しめる。

東釜山

ロッテプレミアム
アウトレット 東釜山店
롯데프리미엄아울렛 동부산점
●ロッテプリミオムアウレット トンブサンジョム

海沿いのロケーションが魅力

海雲台の東部にある比較的新しいアウトレット。
1万6700坪という国内最大規模のアウトレット
モールで、550以上のブランドが入店している。

MAP 付録P2-B4 ⊗東海線オシリア駅から徒歩10
分 ⊕機張郡機張邑機張海岸路147
☎（1577）0001 ⊛10時30分～20時30分 ㉡なし
⊟⊗⊜⊠

フロアガイド

4F	灯台展望台
3F	レストラン街、カフェ、キッズ施設
2F	アウトドア、ゴルフ、スポーツ、レディース、メンズ、靴、リビング
1F	海外ファッション、雑貨、レディス、メンズ、子供服、スポーツ

CHECK
抜群のアクセス
最寄り駅は萇山駅だが、海
雲台駅からでもタクシーで
15分ほどとアクセスは便利

CHECK
550以上のブランドが入店！
入店しているブランドは550店以
上と国内最大規模！キッズアイテム
なども充実している。

CHECK
展望台からの
絶景！
モールを見渡す
展望台がランド
マーク。晴れた
日には、海の向
こうに対馬も見
える

アウトレット
利用のコツ

**まずは館内図を
チェック**
全部の店をチェックす
るのは難しい。まずはお
気に入りのブランドの
位置を地図で確認して

**子どものための
スポットも活用**
子連れでも楽しめるの
がアウトレット。キッズ
コーナーや乗り物など
の施設もチェック

金海

ロッテプレミアムアウトレット
金海店
롯데프리미엄아울렛 김해점
●ロッテプリミオムアウレッ キメジョム

郊外に構える大規模施設

釜山市の郊外、金海市にあるアウトレット
モール。1万4000坪の敷地に300以上
のブランドが入店している。慶尚南道の
特産品売り場や映画館もある。

MAP 付録P2-B4 ⊗Ⓜ軽電鉄府院駅から車で
15分 ⊕金海市長有路469 ☎（055）900-
2500 ⊛10時30分～21時 ㉡なし ⊟⊗

CHECK
食堂街もあり
30以上の食堂が入店して
おり、どこで食べたらい
いか迷ってしまうほど

CHECK
西面から1時間
2号線沙上駅で軽電鉄に乗り換え、府
院駅で下車しタクシーに乗り15分ほど

フロアガイド

4F	キッズカフェ、伽耶遺物展示館
3F	レストラン
2F	ヤングファッション、アウトドア、スポーツ、メンズ
1F	海外ファッション、レディス、ハンドバッグ

CHECK
30% OFFは基本！
アウトレット品だけあり、か
なりお得に買い物が可能。遠
出する価値はあり

Topic 3

きれい
Beauty

韓国旅行に欠かせないビューティースポット。

リーズナブルなお手軽チムジルバンから極上スパまで

身も心も癒やされながらキレイになるメニューをご紹介。

風光明媚な癒やしスポット！

海ビューチムジルバン

オーシャンビューや夜景を満喫できる贅沢なチムジルバンはみんなの癒やしスポット。
温泉水や海水を使用しているので肌もツヤツヤに。

↑韓国式のドライサウナもある

海雲台

クラブ D オアシス

클럽디오아시스●CLUB D OASIS

ビーチを眺めてくつろぎの時間を

2023年7月にオープンした大型スパ施設。ウォーターパークに加え、スパやチムジルバン、ドライサウナなど、極上のウェルネス体験が満喫できる。竹やヤシの木に囲まれた露天風呂ではエキゾチックな気分が楽しめる。海雲台のビーチを見下ろすロケーションも人気の理由。

MAP 付録P9-D4 ㊇ Ⓜ2号線中洞駅から徒歩15分
㊋ 海雲台区タルマジキル30 LCT3階 ☎1566-8007
㊐ 10〜22時（火曜は〜18時、水曜は〜23時）㊍ なし ㊐ 百 ㊎

↑屋内から屋外に続くウォータースライダー。
アップダウンやカーブがあり、スリル満点

チムジルバンとは？
もともとは炭や石で温めた低温サウナのことだが、最近では入浴施設の総称に。ゆっくり利用して体の芯まで温まろう。リラックスしながらキレイになれるスポットとして人気。

汗蒸幕(ハンジュンマク)とは？
松の木を焚いて100℃以上に熱する高温サウナ。黄土や紫水晶で作ったドーム型の内部へ麻袋をかぶって入る。遠赤外線効果で、新陳代謝アップも期待できる（→P44）。

クラブ D オアシスの施設いろいろ

温泉

5階には温泉やサウナがある。露天風呂はリゾート感あふれる雰囲気で、のんびりできる

室内プール

適度な高さの波が休みなく打ち寄せる造波プールもあり、大人も思いっきり楽しめる

チムジルバン

6階のチムジルバン。広いスペースには、快適に休めるようにマッサージ機も用意されている

1：黄土を球形に固めた「黄土ボール」が心地よい。足湯のように足を入れたり、寝転がったりして温まる　2：プールの水も海水が使用されている　3：しっかり疲れがとれる睡眠室も完備

【広安里】

広安海水ワールド

광안 해수 월드 ●クァンアンヘスウォルドゥ

バラエティ豊かなサウナ

黄土や塩など、さまざまな種類のサウナやチムジルバンが揃う。チムジルバンは中学生以上のみ利用可のため、落ち着いて過ごすことができる。

MAP 付録P8-B2 ⊗ M2号線民楽駅から車で5分 ⊞水営区広安辺路370番キル7 ☎(051) 754-2009 ⊕5〜24時（プールは平日6〜22時、土・日曜、祝日9時〜18時30分のみ）※毎日14〜17時は清掃時間 ㉺なし ㉟入浴W1万、入浴＋プールW1万7000

1：低温サウナでじっくり汗をかいて
2：見晴らしのいいリラックススペース
3：海水浴場からすぐとアクセス抜群

【南富民洞】

松島ヘスピア

송도 해수피아 ●ソンドヘスピア

絶景の爽快スポット

プサン南部にある松島海水浴場からすぐに位置する。全面オーシャンビューで、風呂には地下1100mから汲み上げた海水を使用している。黄土や氷サウナなど、施設も充実。2024年3月現在、チムジルバンは休止中。

MAP 付録P2-A4 ⊗ M1号線チャガルチ駅から車で5分 ⊞西区忠武大路134 ☎(051) 718-2000 ⊕6〜22時 ㉺日曜 ㉟入浴W1万（満5歳以上の小人W7500）

How to use チムジルバン

チムジルバン利用の簡単な流れをご紹介

Step 1 カウンターで受付しよう

使用料を払い、ロッカーの鍵、タオル、館内着を受け取る。最後に精算するところもある

Step 2 更衣室で館内着に

更衣室で館内着に着替えよう。先にお風呂に入りたい人は脱衣して浴場に行く。シャンプーなどの自販機があることも

Step 3 自由にくつろごう

お風呂で温まったり、サウナを巡ったりと楽しみ方はさまざま。大量に汗をかくため、水分補給はマメに

チムジルバンの定番メニューはコレ

シッケ　米や麦芽でできた美容効果の高い伝統飲料。薄い甘酒のようなやさしい味

ゆで卵　栄養価が高いので、大量の汗をかいたあとの栄養補給に。食べ過ぎには注意！

こんなにある！チムジルバン活用術

チムジルバンはサウナや浴場だけでなく、さまざまな施設やオプションがいっぱい。一日中過ごせる活用術を紹介しよう。

便利な施設

【食事処】

しっかり汗を流した後はお腹がへるもの。食堂やスナックの売店などが併設されている施設が多い

【ジム】

運動して汗を流してから入浴すれば気分爽快。別料金がかかる場合もあるので、受付で確認しよう

【プール】

熱いサウナの前にプールで運動すれば、爽快感も倍増！気ままに水遊びを楽しんで過ごすのもあり

【ネイル】

全身キレイになったあとは、ネイルアートで爪の先までキラキラに。ハンドケアをしてくれるコースもある

【マッサージ】

プサンのチムジルバンでは定番のスポーツマッサージ。全身、上半身などコースが選択できる

【アカスリ】

たいていは浴場の専用コーナーで行うことが多い。直接受付したら、順番が呼ばれるまで湯船で待とう

アクセスらくらく手軽に美チャージ！

街なかチムジルバン

忙しい旅行中でも気軽に立ち寄れる街なかのチムジルバンは、
女子の強い味方。デパートやホテルに併設しているところが多く、
アクセスもしやすい。ショッピングの合間に美チャージを。

高温のドーム型汗
蒸幕でデトックス

[センタムシティ]

新世界スパランド
신세계스파랜드●シンセゲスパレンドゥ

高級感あふれるリゾートスパ

センタムシティ駅直結のデパート・新世界センタムシティ（→P38）に隣接した大型チムジルバン。韓国随一の規模を誇り、22種類のサウナや天然温泉水を使用した温泉、露天風呂のほか、エステやマッサージのオプションも充実している。週末は観光客と地元の人で混むため平日が狙い目だ。

MAP 付録P8-B1 ⊗2号線センタムシティ駅直結 ⊕海雲台区センタム南大路35 ☎1588-1234 ⑱9〜22時（入場は〜21時）⊕月1回不定休 ⑲W2万3000（小・中・高生W2万）※4時間まで利用可。[裏]

1：汗をかいて体の中からキレイに　2：リゾートのような開放的な雰囲気
3：休憩スペースも充実している

新世界スパランドの施設いろいろ

サウナ
清浄効果が高いというヒマラヤ塩の原石を使用した塩サウナや、ローマサウナ。各種サウナを試して効果を実感しよう

汗蒸幕
デトックス効果抜群の伝統的な汗蒸幕。高温なので、マメな水分補給を心がけて！無理は厳禁

大浴場
天然温泉水の大浴場で汗と老廃物をスッキリ洗い流そう

レストラン
韓国料理はもちろん、洋食、和食が揃う。日本語メニューもあるので安心

マッサージ
フェイシャルとボディ、フットマッサージが受けられる。料金は別途なので注意。アロマオイルボディー W14万3000（60分）

休憩所
ごろ寝できるスペースやリラックスチェアなど設備も充実

↑屋上の足湯。日中はもちろん黄昏時の眺めも最高

ヒルスパ
海雲台

힐스파●Hill Spa

パノラマ眺望で心もデトックス

フロアの海側が一面ガラス張りになっており、日中や夕陽はもちろん、夜景も眺望抜群。温水プールやデッキスペースが充実している。塩、宝石、黄土サウナなども楽しめる。

MAP付録P9-D2 ②M2号線中洞駅から車で10分 ⊕海雲台区タルマジキル117番キル11 ☎（051）913-5700 ⊕24時間 ⊛なし ⊛入浴W1万、入浴＋チムジルバンW1万8000 ⊞⊡

ヒルスパの施設いろいろ

スパ

地下410mから引き上げた天然温泉水を使用している

休憩スペース

日当たりの良いリラックスルームでのんびりくつろごう

サウナ

ミネラル豊富な岩塩やマイナスイオンを発生させるヒスイを使ったサウナなどが楽しめる

虚心庁
東萊

허심청●ホシムチョン

温泉×チムジルバンの代表的施設

新羅の王も訪れたという歴史ある温泉地・東萊温泉（→P73）にある農心ホテルに併設する総合温泉施設。よもぎや薬草、疲労回復や美容に効果がある温泉と各種サウナが楽しめる。レストラン、ビアホール、ベーカリーも併設する。

MAP付録P7-B2 ②M1号線温泉場駅から徒歩7分 ⊕東萊区金剛公園路20番キル23 ☎（051）550-2200 ⊕5時30分～22時（チムジルバン6時30分～21時）⊛なし ⊛W1万5000（土・日曜、祝日W1万8000）、アカスリ男性W3万女性W4万～・チムジルバン利用時のガウン使用料W4000

1：中央の大きな風呂の周りを各種サウナや風呂がぐるりと囲む。アカスリは受付でもお風呂の途中でも申し込める　**2**：露天風呂、洞窟風呂、半身浴用など種類が豊富

3：家族連れでも楽しめ、地元の人にも人気

スポーツマッサージとは？
収縮した筋肉を正常化することで、ゆるみやコリを改善する韓流マッサージ。関節の動きをスムーズにし、血行を促進する。ショッピングの合間に行ける気軽さも魅力のひとつ。

足 …足マッサージ　指 …指圧
M …男性の受け付け可

コリも疲れも翌日スッキリ！

韓国マッサージで爽快

短時間でビューティーチャージや、旅行中の疲れを解消してくれるマッサージは旅行者の強い味方。丁寧な施術が日本より比較的リーズナブルに受けられるので、気軽に利用しよう。

[南浦洞]

タワーヒルセラピー

타워힐 테라피●Towerhill Therapy

足 指 ネイル フェイシャル M

全身のコリをほぐすマッサージ

南浦駅からすぐの、アクセスしやすい店舗。全身マッサージから、フェイス・フット・頭皮ケア、ストーンセラピーと、悩みにあわせた幅広い種類の施術が受けられる。

MAP 付録P5-C3 ⊗ M1号線南浦駅から徒歩3分 ⊕中区光復路97番キル10 ☎ (051) 246-6685 ⊙10時30分〜翌0時30分 ㊡なし 回 ㊦

おすすめMENU
全身ボディーケア
W6万(70分)
全身＋足マッサージ
(or フェイス)
W9万(100分)

ベテランセラピストが施術します

➡店内は明るく、清潔感がある

↑マッサージで全身のコリをほぐしてスッキリ
←フットケアで日頃の疲れを解消

丁寧なハンドマッサージ

↓ほどよい圧で体がほぐれる

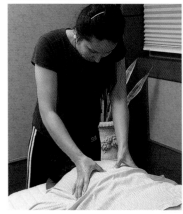

足ツボを中心にオプションも！

←日本語OKなので安心

[西面]

オアシスマッサージ

오아시스발 마사지●オアシスマサジ

足 指 ネイル フェイシャル M

目的に合わせて選べるコース

ポン（棒）という器具でツボを刺激する足ツボを中心に、上半身や腰の施術も行う。ハンドマッサージ各W1万など、オプションで細かくコース設定もできる。

おすすめMENU
足マッサージ
W4万5000〜(45分)
専用器具で足裏を刺激する。プラスW6万5000で上半身の施術(80分)も追加できる
スポーツマッサージ
W6万5000(80分)
アロマA
W7万5000(80分)

MAP 付録P6-A1 ⊗ M1、2号線西面駅から徒歩5分 ⊕釜山鎮区釜田路66番キル4 2階 ☎ (051) 802-9365 ⊙13〜22時 (受付〜21時) ㊡なし 回 ㊦

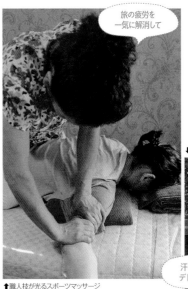

旅の疲労を
一気に解消して

↑職人技が光るスポーツマッサージ

【凡川洞】

The106エステティック

더106에스테틱

足 指 ネイル フェイシャル M

経歴40年のマッサージ

マッサージ師として40年以上の経歴を
もち、メディアにもたびたび紹介される
姜東孝（カン・ドンヒョ）院長によるマッ
サージ店。日本人の利用者が多く、日
本語でも対応してくれるから安心。

↓炭チムジルバンでたっぷり発汗できる

汗をかいて
デトックス！

おすすめMENU

マッサージフルコース
W20万（2時間）
炭チムジルバン＋全身経絡
アロマッサージ＋全身湿布
＋コラーゲンマスクパック＋ス
ポーツマッサージ＋ストレッチ
＋足つぼ
上半身マッサージ
W15万（70分）

MAP 付録P3-B2 ⊗ M1号
線凡一駅から徒歩5分 ⊕釜
山鎮区自由平和路3番 キル
14-21ソマンビル5階
☎（051）644-3801 ㉕9時
〜翌4時 ㊡なし 圓㋚

↑半身浴スペース。雑誌も
置いてあり、ゆっくりできる

【西面】

➡落ち着いた店内

ハーブスポーツマッサージ

허브스포츠마사지 ●Herb sports massage

足 指 ネイル フェイシャル M

お手頃料金でマッサージを

西面駅9番出口を出てすぐの好立地にあるスポーツマ
ッサージ専門店。1時間の全身マッサージがW6万〜
という良心的な料金がうれしい。10年以上の経歴をも
つマッサージ師が、筋肉をほぐしてくれる。

MAP 付録P6-A1 ⊗ M1、2号線西面駅から徒歩1分
⊕釜山鎮区西面文化路6-1ハソンビル9階 ☎（051）808-
9114 ㉕12時〜翌2時（予約10時〜）㊡なし 圓㋚

的確なツボ押しで
体が軽くなる

ビルの9階にある

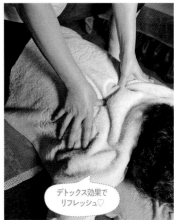

デトックス効果で
リフレッシュ♡

↑足も入念にマッサー
ジしてむくみをスッキリ
←ベテランのマッサー
ジ師によるマッサージ
は効果絶大
➡専用ベッドで施術が
行われる

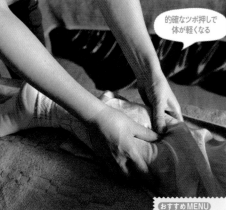

おすすめMENU

全身マッサージ
W6万（60分）、W9万
（90分）
全身をくまなくマッサージ
してもらえる。60分コース
と90分コースがあるので、
疲れに合わせて選ぼう

目指せ、ツルツル美肌!
韓国スキンケアコスメ

韓国といったらやっぱりコスメは外せない。
なかでも、集中ケアに使えるスキンケアアイテムをご紹介。

←濃いめのテクスチャーで、乾燥小ジワを目立ちにくくし、なめらかな肌へと導く／コスアールエックスのレチノール0.1クリームW2万5000…**C**

↑肌悩みに応じて数字で選ぶシートマスク。1は潤い、2はハリや弾力、3は毛穴ケア／ナンバーズインのシートマスク各W4000…**C**

←天然由来成分99.9％で肌にやさしい。米発酵成分が脂と水のバランスを調整してくれる／魔女工房のピュアクレンジングオイルW3900…**C**

→パックやふき取りなどマルチに使えるパッド。50種類の発酵成分で肌に輝きを与える／ナンバーズインの毛穴ゼロたまご肌トナーパッドW2万6000…**C**

←ヒアルロン酸の潤いが肌の角質層まで浸透。ブルーは保湿成分マラカイトエキスの色／トリデンのダイブ・イン・セラムW2万2000…**C**

↑イタリア産ホワイトトリュフと植物性オイルが肌に潤いを与え、みずみずしくしてくれる／ダルバのファーストスプレーセラムW2万9900…**D**

→ミネラルウォーター、重曹、ティーツリーオイル配合。テカリや毛穴の汚れを除去してくれる／ソーダ・ポア・ディープ・クレンジングW7900…**B**

→発酵茶葉からじっくり抽出した独自成分で、キメの整った肌へ／ブラックティー・ユース・セラムW3万8000…**A**

ココで買える

A イニスフリー 西面ロデオ店 →P32
C オリーブヤング 西面駅舎店 →P33
B ホリカホリカ 西面モール店 →P32
D シコル センタムシティ店 →P33

Topic4

街あるき
Town Guide

屋台グルメや市場など、新しい発見に出合える
街あるきは旅の醍醐味。ちょっと足をのばして、
東莱温泉や慶州へのおでかけプランも要チェック。

↓オクチョンフェッチブの近くにある岬。ドラマでは夕暮れ時に歩くシーンで使われた

人気ドラマの世界を訪れよう！
撮影スポットinプサン

プサンには、人気ドラマのなかで登場したスポットも多数。
あの名シーンに使われたのもプサンの風景かも。お気に入り作品の
ロケ地があれば巡ってみよう。

➡海鮮ラーメンやウニ、キンパが楽しめるオクチョンフェッチブ。店外の席で食事を楽しもう

私の夫と結婚して

がんを患い闘病していた主人公ジウォンは、不倫した夫と親友に殺害され、なぜか10年前にタイムスリップ。ジウォンを見守る上司ジヒョクに支えられながら、自身の運命を変えようと奮闘する。

➡ジウォンとジヒョクが座った場所

影島 **オクチョンフェッチブ**
　　옥천횟집

MAP 付録P2-A4 ⊗M1号線中央駅から車で13分 ⊕影島区中里南路2-21 ☎(051)403-7771 ⊕11〜15時、16〜21時 ⊛なし

セリやジョンヒョクが宿泊した北朝鮮のホテルとして登場

➡北朝鮮・平壌のホテルとして使われた。クラシカルな趣のロビーもドラマに登場する

愛の不時着

韓国の令嬢ユン・セリと北朝鮮の将校リ・ジョンヒョクが運命に導かれるラブストーリー。主演を務めたソン・イェジンとヒョンビンが共演後に結婚したことでも話題に。

釜山 **コモドホテル釜山**
　　코모도호텔부산　　➡P87

➡朝鮮時代の王宮を見ているような伝統様式の外観は重厚感がただよう

↑ファンにはおなじみ、ウ・ヨンウと親友グラミの
あいさつポーズを描いた壁画がキュート

ウ・ヨンウ
弁護士は天才肌

一流法律事務所で働き始めた新
米弁護士のウ・ヨンウ。自閉スペク
トラム症を抱えながらも優秀な女
性弁護士として、法廷で、そして
私生活で、さまざまな壁に果敢に
挑むストーリー。

義昌	**昌原北部里榎の木**
	창원북부리팽나무
	●チャンウォンブップリペンナム

MAP 付録P2-A1 ⊗慶全線昌原駅か
ら車で25分 ㊤昌原市義昌区大山面
北部里102-1

ドラマ7、8話に登場
する榎の木の村。ファン
にはたまらない壁画も

↑高速道路建設の裁判の
エピソードで鍵となる榎の
木。村の小高い丘の上に
ある

➡ウ・ヨンウが愛してやま
ないクジラの壁画。絵の
横には榎の木までの道案
内が表示されている

今、別れの途中です

友達や家族、恋人など人生のさまざまな「別
れ」をテーマにした作品。男性と恋人関係には
なろうとしないヨンウンと、恋愛や結婚に執着し
ないジェグクの切ない関係が話題を呼んだ。

海雲台	**プサン エックス**
	ザ スカイ
	부산엑스더즈카이
	●BUSAN X the SKY
	➡P69

←ヨンウンとジェグ
クの食事シーンで使
われたレストラン。
大きな窓からの眺め
がロマンチック

も、同じタワー内のシグニエル釜山で撮影された
ヨンウンとジェグクがパーティーで出会うシーン

『孤独のグルメ』で登場した
ナッコプセをいただきます

松重豊さん主演のドラマ『孤独の
グルメ』韓国出張編で登場した絶
品ナッコプセ(タコ、牛ホルモン、
エビが入った辛い鍋)のお店は、
必ず訪れたい。ご飯にのせたり、う
どんを入れたり、さまざまな楽しみ
方ができる。

大淵	**五六島ナクチポックム** ➡P16
	오륙도낙지복음
	●オリュクドナクチポックム

➡松重豊さんが訪れ
た際の写真も

←ナッコプセW1万 (写真は
3人前)、ご飯W1000、
うどんW2000

➡大型店でショッピングを

韓流エステと美肌グルメでキレイに

おかいもの天国
西面で女子力アップ!
（ソミョン）

デパートやファッションビルが立ち並ぶ西面は、プサンの若者に人気のエリア。ここでは買い物はもちろん、名物のテジクッパを食べたり、リーズナブルなエステでツルツルお肌を手に入れたりと、韓国ならではの楽しみを満喫。仕上げのカジノでは一攫千金を目指しちゃおう!

交Ⓜ1、2号線西面駅から徒歩2〜12分

1 ロッテ百貨店／セントラルスクエア
　ロッテ百貨店釜山本店から徒歩5分

2 シャロットエステティック
　徒歩5分

3 テジクッパ通り
　徒歩10分

4 セブンラックカジノ
　交Ⓜ1、2号線西面駅まで徒歩5分

↑屋台が並ぶグルメストリートも

西面
街歩きポイント

散策度	♪♪♪	各スポット間はそれほど距離はない
グルメ度	♪♪♪	テジクッパ&カフェを楽しむ
ショップ度	♪♪♪	ファッションもおみやげもバッチリ!
ビューティー度	♪♪♪	お好みのサロンで自分磨き
カルチャー度	♪♪	プサンの若者文化にふれる

おすすめ時間帯	11〜20時
所要時間	5〜6時間
予算目安	食事代W5500＋エステ代W10万〜＋買い物&カジノ代

←釜山ロッテホテルに隣接。営業時間が長いのもうれしい
↓7、8階には免税店（→P39）、9階にはレストランも

① コスメ＆食みやげなら
デパート・デパ地下へ

まずは観光客にも人気のショッピングスポットでお買い物。百貨店はファッションアイテムから食材などの定番みやげまで、一度に揃うのが魅力だ。専門店が集まるショッピングモールではプサンの流行アイテムをチェック!

グルメストリートもチェック!
ロッテ百貨店 釜山本店の地下2階にある食品館もチェックしておきたい。おみやげ探しはもちろん、韓国料理をはじめ、各国料理のレストランが集まる。カウンター席もあるので、手軽な食事に重宝。

アンティ・アンズ
앤티앤스 ●Auntie Anne's

➡アメリカ生まれのプレッチェルチェーン「アンティ・アンズ」。食べ歩きスイーツに

ロッテ百貨店 釜山本店
롯데백화점부산본점
●ロッテベッカジョムブサンボンジョム

地下鉄駅に直結するプサンきっての大型デパート。ルイ・ヴィトン、プラダなどのブランドが揃うほか、地下の食品売り場は海苔や高麗人参などのおみやげも充実。

MAP 付録P6-A1 交Ⓜ1、2号線西面駅から3分 住釜山鎮区伽倻大路772 ☎(051) 810-2500 営10時30分〜20時（金〜日曜は〜20時30分）休不定休

セントラルスクエア
센트럴 스퀘어 ●CENTRAL SQUARE

レストランやカフェ、ファッションショップがある複合モール。駅からは少し離れているが、吹き抜けの中庭などゆっくりするにはぴったりの場所。

MAP 付録P6-B2 交Ⓜ1、2号線西面駅から徒歩12分 住釜山鎮区中央大路666番キル50 ☎(070)-7007-2002 営11時〜20時30分（土・日曜は〜21時）休なし

↑営業時間は各店により異なる

➡釜山発のメディカルコスメの購入も可

② キレイはエステがキホン！

ピュアアロマや白水晶などを使い、衛生面もしっかり管理。ホスピタリティの高さにリピーターも多い。

P白水晶の効果が
➡白水晶は代謝アップ

シャロットエステティック
살롯에스테틱
MAP 付録P6-A1 Ⓜ1、2号線西面駅から徒歩10分 ⊕釜山鎮区釜田路63 3階 ☎(051) 816-5888 ⊕9時30分〜18時（予約は〜17時）休なし

おすすめメニュー
●クレオパトラ黄金コース
（顔・首・デコルテ・腕・肩・背中・足と足先・頭皮）W17万 ※現金決済で10％割引

手と棒を併用する
状態に合わせて

西面以外の エステ&マッサージ

フットマッサージの老舗

日本語堪能な女性オーナーの、きめ細かなサービスに定評があるサロン。足ツボ（Cコース・75分、W6万〜）のほかアロマ、スポーツなど好みに合わせた全身マッサージを。

アロマ・リラックス・ハウス
아로마릴렉스하우스
MAP 付録P6-B4 Ⓜ1号線南浦駅から徒歩3分 ⊕中区光復路77 ☎(051) 247-4967 ⊕10時30分〜21時30分 休なし 日 白 英 予

贅沢空間で癒される

専門のセラピストが最高級のオーガニック成分、自然由来の石やハーブを使用して、トリートメントを提供。オーセラスフェイシャルW27万〜（80分）

➡オーシャンビューの施術室

オーセラススパ
오셀라스 스파●OCELAS SPA
MAP 付録P8-B2 Ⓜ2号線冬柏駅徒歩12分 ⊕海雲台区マリンシティ1路51 パークアイアット釜山内 ☎(051) 990-1440 ⊕10〜22時 休なし 英 予

釜山医療観光案内センター
西面メディカルストリート
西面
219 119 地下鉄2号線
城郷大路
空港リムジンバス 商店街
❶ロッテ百貨店 釜山本店
美容関係の病院が100軒以上並ぶ
Hロッテホテル釜山 P88
❷シャロットエステティックへ
ロッテ免税店 釜山店 P39
西面モール 地下商店街 P57・83
このあたりにファッションブランドが集まる
❹セブンラックカジノ
❸テジクッパ通り
西面屋台通りP24
西面市場
日が暮れるとお酒を飲める屋台が並ぶ。日本語ができる店もある
ボハンテジクッパ P80
松亭3代クッパ P80
プサン名物テジクッパの店が集まる横丁
チキン通り
うまいもん横丁
中央大路
西面2路
西面1路
地下鉄1号線
N
トッポッキやおでんといったB級グルメ屋台がズラリ!!
0 100m
ボムネゴル駅へ
セントラルスクエアへ

➡臭いはなく美味なテジクッパ

③ 美肌効果あり テジクッパランチ

西面で食事するなら、豚の骨や肉を煮込んだスープにご飯を入れたプサン名物テジクッパの専門店がずらりと並ぶテジクッパ通りへ。

テジクッパ通り
돼지국밥거리●テジクッパゴリ
MAP 付録P6-A1 Ⓜ1、2号線西面駅から徒歩5分

➡通りを挟んで右も左もテジクッパ店

④ 夜はカジノに挑戦

夜遊びはロッテホテル内のカジノへ！カジュアルな雰囲気で女性同士でも入りやすく、初心者には日本語で説明してくれるので安心。19歳未満は入場不可。

セブンラックカジノ
세븐럭 카지노●Seven Luck Casino
MAP 付録P6-A1 ⊕P86 日

⬆サンダルや短パンは避けたい

こちらもチェック！
市内にある病院から美容クリニックまで、目的に合った施設を紹介してくれる。日本語スタッフがいるので、病院への予約代行もお願いできる。

釜山医療観光案内センター
부산 의료관광 인내센터●プサンウイリョクァングァンアンネセント
MAP 付録P6-A1 Ⓜ1、2号線西面駅から徒歩1分 ⊕釜山鎮区伽倻大路787 ☎(051) 818-1320、1330 ⊕9〜18時 休なし 日 英

プサンのカフェシーンを牽引する人気店へ

最旬カフェめぐり

おしゃれな店が続々とオープンしているカフェ激戦区、西面。
インテリアやメニューはどこも個性的で、思わず写真を撮りたくなってしまうかわいさ。
ローカルに交じってプサンカフェのトレンドをチェックしよう。

➡ミッキープリン
W4000

➡人気の焼きカイマクW1万2500は、自分で好みのトッピングで味わうパンを温めて

西面

バターラブ
버터럽●butterluv

ポップなインテリアがかわいい！

友達の部屋にいるような雰囲気でくつろげる穴場カフェ。トルコ発祥のデザートで、クロテッドクリームのような濃厚なクリームのカイマクがおすすめ。キャラクターをかたどったスイーツも店の世界観に合う。

➡韓国の女の子のかわいい部屋に招かれたようなインテリア

➡小鹿の形のミルクシャーペットにエスプレッソをかけて

アクセント
カラーが
キュート

MAP 付録P3-B1 ⊗Ⓜ1、2号線西面駅から徒歩8分 ⊕釜山鎮区西田路37番キル20 Aマドン2階 ☎（0507）1320-5842 ⑭12時30分〜22時 ㉁月曜 Ⓙ Ⓔ

韓屋風の外観は
風情がただよう

⬆どこか懐かしい感じで落ち着く店内。多彩なパンが並ぶカウンターも

西面

カフェ ザ ドム
카페더덤●cafe the dum

**ソフトクリーム×
塩パンを味わって**

韓国の伝統的な建物である韓屋をモチーフとしたカフェ。人気のソフトクリームは、国内の1等級牛乳のみを使用したまろやかな味わい。コーンを塩パンに変更して、甘じょっぱさを楽しんで。

➡見た目にも美しいソフトクリームW4500

MAP 付録P3-B1 ⊗Ⓜ1、2号線西面駅から徒歩9分 ⊕釜山鎮区西田路37番キル26 ☎（0507）1494-0537 ⑭15時30分〜22時30分（デザートがなくなり次第終了）㉁なし

西面

五月生
오월생● オウォルセン

旬のフルーツたっぷりのケーキ

西面のカフェ通りから少し足を伸ばした場所に位置する。手作りのかわいらしいケーキや焼き菓子は、どれも季節のフルーツをふんだんに取り入れていて、写真映えする。リピーターや海外の旅行客も多く訪れる。

MAP 付録P6-B2 ⊗M1、2号線西面駅から徒歩7分 ⊕釜山鎮区田浦大路260-2 2階 ☎なし ⑱12時〜21時30分 ㉠不定期 日 英

どれもおいしそうで迷うのも楽しい

↑レトロ感と上品さがミックスした店内

➡季節のフルーツをたっぷりと使ったケーキが並ぶ。同じフルーツでも、ケーキやパフェなど多彩なメニューを提供している

↑ケーキの華やかさはもちろんのこと、店内には花や緑が多く飾られていて、心地がいい

西面

モウヴ
모우브● MOUV

ブリオッシュのフレンチトースト

シックな空間が人気の一軒。ここで味わえるのは、自家製ブリオッシュを使ったボリュームたっぷりのフレンチトースト。夏に訪れるなら夏期限定の桃かき氷も見逃せない!

MAP 付録P3-B1 ⊗M2号線西面駅から徒歩14分 ⊕釜山鎮区田浦大路246番キル25 1階 ☎(0507)1333-6552 ⑱12〜20時(金・土曜は〜21時) ㉠月曜 英 英

↑ソルティッドキャラメルフレンチトーストW1万2000

参考にしたくなるインテリア

↑シンプルながらセンスのよい店内。おしゃべりをしながらくつろぎたい

西面

コンテムア
꽁테무아● Quant a moi

まるでヨーロッパの雰囲気!

ヨーロッパのような雰囲気がただよう人気カフェ。カスタムバターというメニューが名物で、最低2種類から注文可能。写真付きのメニューがあり、注文がしやすいのもうれしい。

MAP 付録P3-B1 ⊗M2号線田浦駅から徒歩2分 ⊕釜山鎮区東城路25番キル26-1 ☎(0507)1300-3059 ⑱12〜23時 ㉠なし 英

↑ハモンルッコラ(左)とストロベリーミルククリーム(右)W9000

天気がよければ外の席も◎

↑夜はまた違った雰囲気でムード抜群。人気店のため、空席待ちになる場合もある

カラダの中からキレイ
韓国伝統茶を味わう

果物や木の実など、さまざまな素材を用いた韓国伝統茶は美容や健康に効果的。体調に合った伝統茶で、心も体も元気になろう。

西面

チャマダン
차마당

本格伝統茶を堪能

茶道を学んだ店主による伝統茶のお店。人気メニューはナツメ茶W7000、五味子茶W7000、そして9種類の生薬を煮込んだ双和茶W7000。ゆったりリラックスできる落ち着いた雰囲気も魅力。

↓さわやかな酸味が心地よい、冷たい梅茶W6000
→お茶には茶菓子がセットで付く

MAP 付録P6-A1 ⊗M1、2号線西面駅から徒歩3分 ⑪釜山鎮区西面文化路20 ☎(051) 808-2865 ⑪10時30分〜22時(日曜12〜18時、変動あり) ⑯なし ⑬

↑落ち着いた雰囲気の店内

西面

タジョン
다전

手作りの伝統茶が味わえる

伝統茶をカジュアルに楽しめるカフェ。ビタミンCたっぷりの柚子茶W5000やカボチャラテW5000など、個性的なメニューが人気。モダンなインテリアで空間も楽しめる。

MAP 付録P6-A2 ⊗M1、2号線西面駅から徒歩7分 ⑪釜山鎮区新川大路62番キル4階 ☎(051) 808-6363 ⑪12時〜21時30分 ⑯日曜 ⑬

↑日当たりがよく、ゆったりとくつろげる ←湯を注ぐと花開く、ジャスミンの工芸茶W5000 →伝統茶はすべて手作りでテイクアウトも可能

伝統茶&菓子プチ辞典

生姜茶や柚子茶など、茶葉以外の果物や韓方生薬を使った韓国の伝統茶を、お茶うけの菓子と一緒に紹介。

五味子茶 오미자차／オミジャチャ

甘さ、辛さ、すっぱさ、苦さ、しょっぱさの5つの味をもつ五味子の実から作られたお茶。リラックスや美肌効果がある。

かりん茶 모과차／モグァチャ

韓国で昔から親しまれてきたフルーティな味わいのお茶。喉の炎症を鎮め、気管支の保護に効果的。美肌効果も。

生姜茶 생강차／センガンチャ

しょうがのハチミツ漬けがベース。香り豊かなすっきりした味わいで、体が温まる。消化促進や風邪予防に効果的。

ナツメ茶 대추차／テチュチャ

ナツメを煮つめ、ハチミツなどで甘みをつけたお茶。貧血や食欲不振、便秘解消に効果的。不眠の解消にもいいとされる。

柚子茶 유자차／ユジャチャ

ゆずの皮と実を刻み、砂糖やハチミツで漬けたもの。お湯で割って飲む。ビタミンCが豊富で、風邪予防や咳にも効果的。

桑の葉茶 뽕잎차／ポインイプチャ

抹茶に似た味わいで、飲みやすいお茶。豊富な食物繊維で便秘解消に効果的。糖尿病、高血圧などの成人病予防にも。

梅茶 매실차／メシルチャ

甘酸っぱく、香り豊かな梅のお茶。殺菌作用があり、食中毒を防いでくれる。ビタミンが豊富で、疲労回復や消化促進に。

双和茶 쌍화차／サンファチャ

10種類もの韓方を煮出して作られた薬膳茶。健康効果が高く、お茶に含まれる成分が疲労やストレスを緩和してくれる。

油菓 유과／ユグァ

蒸したもち米を油で揚げ、ハチミツや水飴にくぐらせた菓子。お茶菓子はもちろん、伝統的な儀式の際にも食べられる。

茶食 다식／タシク

米粉や大豆粉、松の花粉などをハチミツで練り、固めたもの。日本の落雁のような菓子。見た目も鮮やかで美しい。

➡グリーンと白のボーダーニットW4万4000。ガーリーにもボーイッシュにも使えそう…**B**

トレンドの地下街で安カワお買い物

西面モール地下商店街

若者に人気のトレンドスポット・西面にある地下街は安カワアイテムの宝庫。小さなショップが約300店舗も集まっているので、掘り出し物を探してゲットしよう。

←爽やかなパステルブルーのカーディガンW1万4000はコーデのアクセントにおすすめ…**A**

↓やわらかな印象のベストとシャツがセットW1万7000。カジュアルなボトムスと合わせて…**A**

↓アイボリーのパンツW4万3000は、シルエットを拾わず履き心地ゆったり…**B**

↑ひざ上丈のスカートW3万6000。アイボリーの色味はトップスを選ばず着回せる…**A**

↓淡い花モチーフのピアスW7900は顔まわりに女性らしさをプラスしてくれる…**C**

➡ラウンドトゥのフラットシューズW1万。モノトーンのシンプルなデザイン…**D**

↓3つのリングが組み合わさったピアスW8900は、小ぶりながら存在感抜群…**C**

↓ファーとつま先のシルバーがゴージャスなパンプスW1万5000。冬のコーデに取り入れたい…**D**

MAP 付録 P6-A1

西面モール地下商店街
➡P83

←ふわふわのバレッタW5900は、冬場のコーディネートのポイントになりそう…**C**

A インアウト
인아웃●IN-OUT

カジュアルからきれいめまで、さまざまなテイストのアイテムがそろう。価格もリーズナブル。
MAP 付録P6-A1 ⊕西面地下商店街B1階 2列56号
☎なし ⊕11時30分〜21時30分 ㊡第1火曜

B ピグメント
피그먼트●PIGMENT

カジュアルなアイテムが充実している。色物が多く、コーデのアクセントに◎。
MAP 付録P6-A1 ⊕西面地下商店街B1階 2列・3列37号
☎051-807-0166
⊕11〜21時
㊡第1火曜

C H ストーリー
에이치스토리●H story

リングやネックレスはもち ろん、ヘアアクセサリーも充実。キャラクターグッズも販売。
MAP 付録P6-A1 ⊕釜山鎮区中央大路730地下
☎なし
⊕11〜23時
㊡なし

D シニア
시니아●SYNIA

バリエーション豊富なシューズショップ。安いので靴はここで現地調達するのも◎。
MAP 付録P6-A1 ⊕西面地下商店街B1階 3列4号
☎なし ⊕11時〜20時30分
㊡第1火曜

こだわりのグルメみやげを探そう

デパ地下みやげ

センスのいい食みやげを手に入れたいならロッテ百貨店へ！
デパ地下ならではの洗練されたアイテムが勢揃い！

ロッテ百貨店 釜山本店 ➡ P52
映画館や免税店を併設するプサン最大規模のデパート。グル
メみやげなら地下2階の食品館とフードアベニューが狙い目。

3種トゥッペギセット
W9700
味噌、コチュジャン、サムジャンの調味料セッ
ト。各100gの使い切りサイズなのでお試しに
ぴったり

チャンナンジョ
W2万
スケトウダラの内臓の塩辛。日本ではチャンジ
ャとよばれている

ナツメしょうがシロップ
W3万2000
さっぱりとしたシロップ。水や炭酸で薄めて飲
もう

アーモンドいわし炒め
W7000
アーモンドの香ばしさといわしのバランスが
絶妙。そのままでもご飯にかけても

チョッカル(タコ)
W1万2600

> ほかにスケトウ
> ダラW9000や
> イカW1万1400
> などもある

ごはんやお酒のおともにしたい塩辛。ホテルで
も要冷蔵で保存を

しょうがレモンシロップ
W2万5000(1本)
お湯割りのほか、緑茶や紅茶に混ぜるのもお
すすめ

ミョンガ チャルトクパイ
W5940
チョコレートを餅で包んだ人気菓子のいちご
ラテ味

焼きポテト
W3690
固めの歯ごたえがたまらない。ほのかにジャ
ガイモの甘みを感じる

ゼロ チョコチップクッキー
W5040
砂糖や糖類が添加されていないシュガーフリ
ーのクッキー

時間がある限りたっぷり楽しむ♪

旬の夜遊びゾーン

地元の若者が集まるクラブやバーで熱気あふれるプサンの夜を体感！
韓国らしさならマッコリ居酒屋がおすすめ。地元の人に交じってワイワイ騒ごう。

バー
バーでしっとり
旅の思い出話を

↓フォトジェニックなカクテルと料理で乾杯

広安里

ファジーネイブル
퍼지네이블 ● Fuzzy Navel

広安里の夜景が楽しめるバー

陽が沈むと店内からはライトアップされた広安大橋が見える。店内中央のカウンターバーからの眺めが最高。カクテルはもちろんメキシカン料理も充実し、ディナー利用もできる。暖かい日はテラス席もおすすめ。

MAP 付録P8-A3 ⊗2号線金蓮山駅から徒歩9分
⊕水営区広安海辺路177 ☎ (051) 757-6349 ⊛15時～翌4時 ⊛なし（夏季は11時30分～）

↓店は海岸沿いにあり、ガラス張りのため眺めは抜群！

↑店内は開放的でリゾートのような雰囲気

クラフトビール
プサンで醸造されているビール。プサンに来たなら飲んでみたい！

海雲台

ゴリラビーチ
고릴라비치 ● GORILLA BEACH

プサン発のクラフトビール専門店

2015年に設立された「ゴリラブリューイング」のタップルーム。常時10種類ほどの定番ビールのほか、コラボビールやゲストビールが用意されていることも。気になるビールがあればトライして。

MAP 付録P9-D4 ⊗2号線中洞駅から徒歩9分 ⊕海雲台区タルマジキル30 ボディウム洞1041号 ☎ (0507) 1399-6258
⊛14～22時 ⊛月・火曜 ⊛ ⊛

↑クラフトビールはW8500～1万5000。フィッシュ＆チップスW16万と一緒に味わって

マッコリ居酒屋
マッコリを飲めるおしゃれな店へ

西面

チョンYaa! ジェ
전야제 ● チョンヤジェ

フルーツたっぷりマッコリが人気

レトロなインテリアとは打って変わってモダンなメニューが人気の居酒屋。チーズがたくさんかかったピザのような見た目の、ピリ辛のチーズプルカムジャジョンW1万9500もおすすめ。

MAP 付録P6-B1 ⊗1、2号線西面駅から徒歩3分 ⊕釜山鎮区東川路85番キル17 ☎ (051) 808-0601 ⊛17時30分～翌2時（土・日曜は17時～）⊛なし

↑フルーツマッコリは1杯目はW1万／1000mlからのオーダー

たくさんのショップが集まるプサンの繁華街

プサンに着いたらまずココ！

南浦洞の定番スポットへ

プサンといえば、国際貿易港として発展してきた韓国第2の都市。港の周辺には活気あふれる魚介市場を中心に、港町らしい風光明媚な景色が広がる。若者で賑わう南浦洞の繁華街もあり、プサンならではの魅力が凝縮されたエリアだ。

コース比較リスト

散策度	♪♪♪	各市場はかなりの広さ
グルメ度	♪♪♪	新鮮魚介や地元色たっぷりの屋台
ショップ度	♪♪♪	何でもそろう国際市場で買い物を
ビューティー度	♪♪	人気のコスメショップが並ぶ
カルチャー度	♪♪	港町ならではの情緒を味わえる
おすすめ時間帯	11～20時	所要時間 4～6時間
予算目安	食事代W3万＋入場料W1万2000＋買い物代	

▶買い物客で賑わうチャガルチ市場

▶夜景も美しい釜山タワー
▶南浦洞では新鮮な刺身を味わえる

🚇Ⓜ1号線南浦駅から徒歩10分

1 釜山タワー（龍頭山公園）
▼ 徒歩9分
2 元山麺屋
▼ 徒歩4分
3 BIFF広場
▼ 徒歩8分
4 アリラン通り
▼ 徒歩3分
5 国際市場
▼ 徒歩15分
6 チャガルチ市場
└ 🚇Ⓜ1号線南浦駅まで徒歩5分

① 街のランドマーク 釜山タワーに上る！

スタートは釜山港を見下ろす高台にある、龍頭山公園内の釜山タワーへ。高さ120mのタワー展望台から眺めを堪能。弓型の海岸線や行き交う漁船など、港町の風景を楽しもう。写真撮影をするなら逆光にならない午前中がベストだが、夜景を見るならコースの最後にまわしてもOK！

龍頭山公園
용두산공원 ●ヨンドゥサンコンウォン

🗺MAP 付録P4-B2 🚇Ⓜ1号線南浦駅から徒歩10分 🏠中区龍頭山キル37-55 ☎(051) 860-7820 🕐タワーは10～22時（チケット販売終了21時30分）🈺なし（博物館は月曜）💰タワー入場料W1万2000

►公園へは光復美化街からエスカレーターを使おう

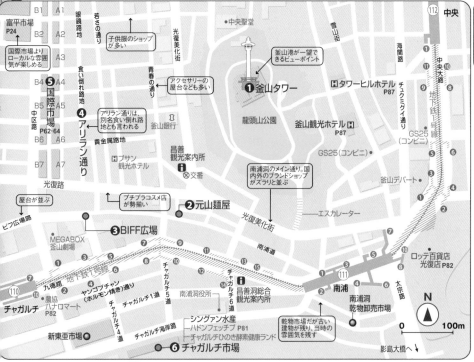

B1 A1
富平市場
P24
B2 A2
国際市場よりローカルな雰囲気が楽しめる
B3 A3
眼鏡路地
若さの通り
子供服のショップが多い
光復美化街
青春の通り
アクセサリーの屋台なども多い
食い倒れ路地
A4
❺国際市場
中区路 P62·64
B5
❹アリラン通り
アリラン通りは、別名食い倒れ路地とも言われる
A5 A6
青金属路地
釜山銀行
B6 A6
昌善観光案内所
❌交番
プサン観光ホテル
B7 A7
光復路
●中央聖堂
釜山港が一望できるビューポイント
❶釜山タワー
龍頭山公園
Hタワーヒルホテル P87
釜山観光ホテル H P87
GS25(コンビニ)
南浦洞のメイン通り。国内外のブランドショップがズラリと並ぶ
光復美化街
エスカレーター
屋台が並ぶ
ビフ広場路
プチプラコスメ店が勢揃い
❷元山麺屋
❸BIFF広場
MEGABOX 釜山劇場
地下鉄1号線
九徳路
ヤンゴプチャン(ホルモン焼き)通り
チャガルチ1道
南浦道
南浦洞役所
昌善洞総合観光案内所
チャガルチ6道
❌交番
(110)
チャガルチ
農協ハナロマート P82
チャガルチ4道
チャガルチ海岸路
シングァン水産 ハドンフェッチプ P81
チャガルチひのき酵素健康ランド
❻チャガルチ市場
新東亜市場
(112) 中央
雪山街
海関路
中央大路
地下鉄1号線
チュクミグイ通り
GS25(コンビニ)
釜山デパート
ロッテ百貨店 光復店 P82
(111)
南浦
南浦洞乾物卸売市場
太宗路
乾物市場だが古い建物が残り、当時の雰囲気を残す
影島大橋へ↗
N
0 100m

↓天気のいい日は対馬まで見えることともあるとか

プサンで人気のビュースポット
プサンのランドマーク。地上120mからの眺望は外せない

② ツルッと冷たい
名物冷麺

1953年創業のプサンで名高い老舗冷麺屋。創業から変わらない味を守り続けている。メニューは定番の平壌冷麺と、ピリ辛の咸興冷麺の2種類を提供している。

←夏はいつも行列ができるほど混み合っているので注意が必要

元山麺屋
원산면옥 ●ウォンサンミョノク

MAP 付録P6-B4 ❌Ⓜ1号線南浦駅から徒歩7分 ⓗ中区光復路56-8 ☎(051) 245-2310 ⓗ11時〜21時30分 ⓗなし ⓔ⊗ⓟⓥ

↑こちらはおなじみ、北野武監督の手形とサイン

③ BIFF広場で スターの手形にタッチ

南浦洞の繁華街にあるこの広場は、国際的な映画祭のひとつ釜山映画祭の象徴的な場所。BIFFは釜山国際映画祭（Busan International Film Festival）の略。広場を囲むように映画館が連なり、路面には国内外の監督やスターの手形が埋め込まれている。屋台メニューの定番・ホットックもぜひ食べてみよう。

↑広場にはホットックなどの屋台が立ち並び賑やかな雰囲気

BIFF広場
BIFF Square ●ビフスクエア
MAP 付録P6-A4 Ⓜ1号線チャガルチ駅から徒歩4分 中区BIFF広場路一帯

ちょっと豆知識 韓国最大規模の釜山の映画祭

近年、日本でも人気の韓国のドラマや映画。ファンならば見逃せないのが釜山国際映画祭。2024年には29回目を迎える韓国最大の映画祭で、毎年10月に1週間ほどの期間中開催される。期間中は、国内外から映画人やファンが訪れ、街をあげての一大イベントとして、大いに盛り上がる。
➡いち早く話題の韓国映画を見よう

260本以上の映画が上映される

④ お手軽ランチは アリラン通りで

国際市場B棟の1ブロック東に走るアリラン通りは、屋台が並ぶ食い倒れ路地。椅子に座って、ちょっとしたピクニック気分で小腹を満たすことができる。料理はどれも1品W3000〜4000程度とお手ごろなのもうれしい。地元ならではのグルメを楽しもう。

アリラン通り
아리랑거리 ●アリランゴリ
MAP 付録P6-A4 Ⓜ1号線チャガルチ駅から徒歩8分

お支払い
支払いは料理を受け取ったときや帰り際に。金額を指で示してくれるが、心配なら紙とペンを用意。

オーダーは指を差して
食べたいものを指差せばOK！あとは椅子に座って待っていれば料理を皿に盛ってくれる。

⑤ 国際市場で おみやげ探し

アリラン通りから歩いてすぐのプサン最大の総合市場、国際市場へ。一帯には衣類、食器、家具などあらゆる種類の店が連なっているので、そぞろ歩くだけでも楽しい。2階建てのA棟、B棟を中心に、その周辺にも無数の店がひしめき合っている。（→P64）

国際市場
국제시장 ●クッチェシジャン
MAP 付録P4-A2 Ⓜ1号線チャガルチ駅から徒歩5分 中区国際市場2キル一帯 9〜21時ごろ（店によって異なる）第1・3日曜（店によって異なる）

おすすめショップをチェック！

茶和 차랑	➡P65 中国や韓国の茶器を探すならここへ
カーリーバスケット 컬리바스킷	➡P65 バッグやキッチングッズが人気の店
徳盛陶器 덕성도기 ●トクソンドギ	➡P65 韓食器を豊富に扱う老舗食器店
チョロクセム 초록샘	➡P65 バスケットやインテリア雑貨が揃う
国際漆器 국제칠기 ●クッチェチルギ	➡P82 観光客にも人気の漆芸品の店

⑥ 韓国最大規模の チャガルチ市場を 攻略！

韓国最大の漁港を擁するプサンで、なんといっても訪れておきたいのがこの水産市場。とれたてのシーフードが味わえる食堂やビュッフェレストランもある。ガラス張りのモダンなビルに改装され、散策やショッピングも楽しめるスポットへとパワーアップ！活きのいい海産物と威勢のいいオモニ（韓国語で「お母さん」）たちに圧倒されつつ、魚市場のムードを楽しもう。

チャガルチ市場

자갈치시장 ●チャガルチシジャン

→タコ、イカ、貝類 など新鮮な魚介が 所狭しと並ぶ

MAP 付録P4-B4 ⊗Ⓜ1号線チャガルチ駅または南浦駅から徒歩5分 ⊕中区チャガルチ海岸路52 ☎(051) 245-2594 ⊕5～22時※店により異なる ⊛第1・3火曜 🈑

↑港に面してそそり立つガラス張り7階建ての市場

←多くの人が行き交う活気ある海産物市場

💬 新鮮な魚を その場で食べる！

1 鮮魚フロアで食材を選ぶ

まずはお店選び。狙うは韓国のお刺身でポピュラーなヒラメやタコ！感じのいい店員さんがいる店なら安心して買い物できる。

2 値段交渉をしてみよう

食べたい魚に指を差して量と価格を聞こう。魚の名前は日本語が通じるところも多い。値段交渉には電卓があると便利。

3 調理をしてもらう

お目当てのお刺身を無事購入！その場でお刺身用にさばいてもらおう。刺身以外にしたい場合はこの時伝える。

4 2階へ移動

さばいてもらったら2階へ移動。お店指定の食堂で調理してもらう。

5 いざ！実食！

とれたてさばきたての魚は、身が締まってほどよい歯ごたえがたまらない‼食堂では別途席料がかかる。

シングァン水産

신광수산 ●シングァンスサン

MAP 付録P4-B4 ⊕チャガルチ市場68号 ☎(051) 246-4270 ⊕7～20時 ⊛第1・3火曜 🈑

💬 攻略のポイント

その1 酵素風呂も！

檜のおがくずを利用した酵素風呂が人気の「チャガルチひのき酵素健康ランド」も。
⊕中区チャガルチ海岸路52チャガルチ市場3階 ☎(051) 255-8001 ⊕8～18時（最終入場16時）⊛月曜

その2 場外市場も見逃せない

市場周辺に広がる場外市場も必見。平屋には、魚の切り身や一夜干しなどが並ぶ。

💬 オススメはこちら

新東亜市場

신동아시장 ●シントンアシジャン

魚介を買ったその場で食べられるのが魅力。

MAP 付録P4-A4 ⊗Ⓜ1号線チャガルチ駅から徒歩3分 ⊕中区チャガルチ路42 ☎(051) 246-7500 ⊕1階水産市場7～21時※店により異なる ⊛第2・4火曜

南浦洞乾物卸売市場

남포동건어물도매시장 ●ナンポドンコノムルド

海苔やスルメ、干しダラなど乾物を扱う店がずらりと並ぶ。

MAP 付録P5-C4 ⊗Ⓜ11号線南浦駅から徒歩3分 ⊕中区南浦洞1街61 ☎(051) 254-3311 ⊕7～18時（店舗により異なる）⊛一部の店舗のみ毎週日曜

キッチュな自分みやげはコレで決まり
韓国雑貨in国際市場

細い路地が縦横に延びる国際市場や、その周辺には、食材から日用品、伝統工芸品までありとあらゆるものが揃う。自分用のおみやげに、韓国ならではのゆる〜くカワイイ一品を見つけてみては。

国際市場 MAP 付録P4-A2
➡P62
プサン最大規模の総合市場であり、映画『国際市場で逢いましょう』の大ヒットでも脚光を集める。店はA棟・B棟の1、2階にあり、2階のほうが安く買える場合も。

⬇ミニポーチ各W1万5900。ちょっとしたおでかけの際、手首から提げて持ち歩けるサイズ D

➡バスケットW4万5000。ピンクのバスケットの中にはさらに布製のバッグがあり、中身が見えにくい B

⬇キムチを漬ける時などに使う手袋W4000。日本のビニール手袋より長めで服の袖が濡れにくい B

◀六角形のフォルムが手になじむ茶器W2万8000。柔らかな色味が◎ A

⬇茶器W8000。お茶時間を華やかにしてくれそうなマスタード色のかわいい茶器 A

◀バッグW9万2160。巾着とラタンが一体になった個性派アイテム B

⬇国際市場のあちこちでカラフルなカゴバッグが売られている

⬆レトログラス各W1万〜。懐かしさを感じる花柄のグラスはセットでそろえたい B

➡茶こしW1万6000。柄杓のように柄が長く使いやすい。お茶を淹れるのが楽しくなりそう A

⬆マッコリ用ひしゃくW2000。甕の中からマッコリをすくったり、そのまま飲んだりするもの C

⬇ご飯用のステンレス食器 W4000。食卓が韓国料理店になる、ご飯を入れる蓋付き食器 C

⬆トゥッペギW2000～5000。チゲを煮るのに使う1人用の小さな土鍋は、自分用に C

➡キムチ用ステンレスタッパー W1万5000～3万。キムチを保管するのに必須の、密閉できるタッパー C

⬅ステンレスのスプーンW1000～2000。食堂や食卓で使われる、一般的なステンレスのスプーン

➡ステンレス弁当箱W5000～9000。素朴なデザインが魅力的な、昔ながらの弁当箱 C

⬇木製カトラリー各W3490～。温かみを感じる木製のスプーンなど。形やサイズはさまざま D

ココで買える

A 茶和
차랑 ●チャラン

中国や韓国の茶器を販売。お茶の試飲W1万5000をしながら好みの茶器を見つけられる。抹茶をたてる時に使用する茶せんは、日本で買うより安価で、購入する人も多いそう。
MAP 付録P4-A2 ⊗M1号線チャガルチ駅から徒歩10分◆ ⊕中区中区路33番キル12 ☎(0507)1380-6601 ⊕11～18時 ㉫日曜 ⓘ

B カーリーバスケット
컬리바스킷 ●kurly basket

社長がデザインしたバッグや各国から仕入れた雑貨が人気。人気のラタンのバッグは、インドネシアから直輸入されたもの。商品はネットでも買えるが、店で買うと20%オフに。
MAP 付録P4-A2 ⊗M1号線チャガルチ駅から徒歩10分 ⊕中区中区路42 ☎(010)7101-7123 ⊕10～18時(土曜は11～17時) ㉫日曜 ※看板은 로뎀나무

C 徳盛陶器
덕성도기 ●トクソンドギ

50年の歴史をもつ、このエリアで最も古い食器店のひとつ。韓国の一般的な家庭や食堂で使われる、焼物やガラス、ステンレス製品を卸売価格で販売。
MAP 付録P4-A2 ⊗M1号線チャガルチ駅から徒歩8分◆ ⊕中区国際市場2ギル19 ☎(051)245-2378 ⊕8～18時 ㉫第1・3日曜 ⓘ

D チョロクセム
조록샘

バスケットなどを中心としたカラフルなバッグが人気。個性的なスリッパやキッチン雑貨、リビング雑貨など、日常に潤いを与えてくれるようなかわいいアイテムが充実している。
MAP 付録P4-A2 ⊗M号線チャガルチ駅から徒歩9分 ⊕中区中区路33 ☎(010)5051-5200 ⊕11～17時 ㉫土・日曜

ちょっと一息

E ブルーシャーク
블루샥 ●Blu Shaak

プサン発の人気コーヒーチェーン。看板メニューのシャークラテW3400は苦めのコーヒーと甘いクリームがマッチ。カヌレW2800などのスイーツと一緒に味わいたい。
MAP 付録P6-A4 ⊗M1号線チャガルチ駅から徒歩8分 ⊕中区光復路34-11階 ☎(0507)0289-5616 ⊕9～23時(金・土曜～24時) ㉫なし

プサンのサントリーニ島
影島でアートと絶景に出合う
ヨンド

南浦洞から行きやすい影島は再開発が進み、新たなお出かけスポットとして地元市民や観光客の注目が集まっている。爽やかな海風を感じながら、アートや絶景カフェ、海の幸を楽しもう。天気の良い日には海沿いや公園をゆったり散歩するのもおすすめ。

🚇Ⓜ南浦洞駅から車で7分

1 ヒンヨウル文化村
▼ 徒歩2分
2 カップナッツ 影島店
▼ 車で6分
3 影島海女村
▼ 車で10分
4 太宗台公園

コース比較リスト

散策度	♪♪♪	海岸沿いを散策
グルメ度	♪♪♪	絶景カフェや海の幸を楽しむ
ショップ度	♪♪	小さなショップなどを探しながら歩くのも楽しい
カルチャー度	♪♪♪	フォトジェニックな壁画やメディアアートを探して
おすすめ時間帯	10 ～ 19 時	
所要時間	半日	
予算目安	食事代 W2 万 + 交通費 W2 万 5000	

➡オーシャンビューの向こうに対岸のビル群が見える

① 散策が楽しい ヒンヨウル文化村へ

山から水が流れる様子が雪の降るように見えたことから「ヒン(白い)」＋ヨウル(早瀬)」の名がついた村。細い路地が続く町並みはサントリーニ島にも似ている。たびたびドラマの撮影ロケ地にもなり、現在は壁画村として有名。

⬇フォトジェニックな壁画やモザイク画を探して歩き回ろう

ヒンヨウル文化村
흰여울문화마을 ● ヒニョウルムナマウル

MAP 付録P2-A4 🚇Ⓜ1号線南浦駅から車で7分 📍影島区絶影路258 ☎ (051) 419-4067

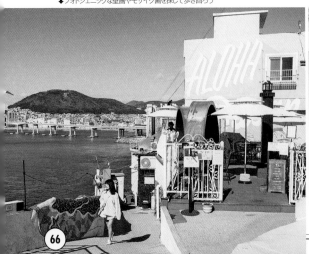

⬅潮風が気持ちいい。晴れた日を狙って行ってみよう

② 絶景カフェで パワーチャージ♪

散策で足が疲れたら、大きなふわふわドーナツが自慢のカフェでスイーツを。店内からも海を眺められるだけでなく、3階テラスからは青い空と海が見えて爽快感たっぷり。影島の景色をひとりじめできる。

↓青い空と海に癒される最高の眺め

カップナッツ 影島店

컵넛영도점●Cupnut 影島店

[MAP] 付録P2-A4 ⊗M1号線南浦駅から車で8分 ⊕影島区絶影路222
☎ (0507) 0284-4035 ⑱12〜20時 ㊡なし ⑱ ⑱

↑イチゴのチョコとパウダーがかかったストロベリードーナツ（手前）W3900など

③ 新鮮なウニを キンパにのせて

ランチは新鮮な海鮮がオススメ。影島海女村で海女さんが採ってきたウニをたっぷりのせたキンパを頬張ろう。海辺のテーブル席で潮風に吹かれながら島の醍醐味を味わおう。

←ウニ＝W1万、キンパW5000、タコ海鮮ラーメンW1万など

影島海女村

영도해녀촌●ヨンドヘニョチョン

[MAP] 付録P2-A4 ⊗M1号線南浦駅から車で15分 ⊕影島区中里南路2-35 ☎ (010) 4192-7967 ⑱9〜18時 ㊡なし ⑱

話題の新施設に寄り道

開放的なカフェや653mのジップラインがある新施設。ジップライン下部停留所には美しい映像が楽しめるメディアアートの施設も。

太宗台オーシャンフライング

태종대 오션플라잉●テジョンデオションプライン
➡P9
⊗M1号線南浦駅から車で15分

❶ヒンヨウル文化村

国立海洋博物館

影島ハヌル展望台

❷カップナッツ 影島店

オクチョンフェッチブ P50

❸影島海女村 P17

太宗台温泉 P85

太宗台オーシャンフライング P9

太宗台

太宗台公園 ❹

N

0 1km

④ 晴れていれば対馬も見られる 太宗台公園

影島突端にある展望台や灯台、公園などを総称した公園。道なりに行けば一周大体1時間30分ほどで観光できる。天気の良い日に対馬が肉眼で見えることも。

太宗台公園

태종대공원●テジョンデコンウォ

[MAP] 付録P2-B4 ⊗M1号線南浦駅から車で20分
⊕影島区展望路24 ☎ (051) 405-8745 ⑱4〜24時 (11〜2月は5時〜) ㊡なし ㊟入場無料、タヌビ列車W4000

←波の侵食によってつくられたプサンを代表する海岸景勝地

➡島の先端にある灯台までは、公園内を巡回するタヌビ列車に乗って行くこともできる

→夏はプサンっ子や観光客で賑わいをみせる海雲台海水浴場

プサンーの人気リゾート

海雲台ビーチで のんびりステイを
（ヘウンデ）

白砂のビーチ沿いに、ラグジュアリーなリゾートホテルが立ち並ぶ海雲台。映画のロケ地になることも多く、また毎年開催される釜山国際映画祭のメイン会場もある。そんなプサン随一のリゾートエリアでは、チムジルバンや温泉でゆっくりしたり、新鮮な海の幸を味わったりしたい。ビーチの近くには免税店もあるのでショッピングも楽しめる。

→夏の砂浜には多くのビーチパラソルが立つ

コース比較リスト

散策度	♪♪♪	動くエリアはそれほど広くない
グルメ度	♪♪♪	高級食材のフグを手ごろな価格で！
ショップ度	♪♪♪	ブランドショップが集結する免税店へ
ビューティー度	♪♪♪	海ビューチムジルバンでリフレッシュ
カルチャー度	♪♪♪	プサンきってのリゾートを満喫

おすすめ時間帯	11〜20時	所要時間	半日
予算目安	入場料W3万＋食事代W5万＋買い物代＋交通費W6万		

交 M2号線海雲台駅から徒歩10分

1 シーライフ・プサンアクアリウム

▽ 徒歩すぐ

2 海雲台ビーチ・足湯

▽ 徒歩10分

3 クムスボックク

▽ 徒歩12分

4 プサン エックス ザ スカイ

▽ 車で5分

5 ビビビ堂

交 M2号線萇山駅から車で5分

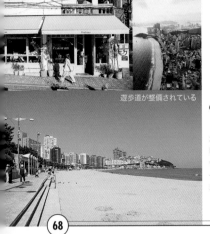

↓おしゃれな店が並ぶ通り、ヘリダンキル

↓海沿いには、高層ビルが立ち並ぶ

遊歩道が整備されている

① アクアリウムで お魚ウォッチ

↓巨大な水槽はまるで水中にいるような気分にさせてくれる

海雲台が誇る韓国最大規模の水族館。世界中から集められた400種以上約4万点の海洋生物が見られる。長さ80mの海中トンネルや巨大水槽など、充実の内容だ。ペンギンの餌付けをはじめとしたショーも目白押し。

シーライフ・プサンアクアリウム

부산아쿠아리움
●シーライフプサンアクアリウム

カワウソ、サメ、アカエイの餌付けショーも。ショータイムをチェック

MAP 付録P9-C4
交 M2号線海雲台駅から徒歩9分 住 海雲台区 海雲台海辺路266 ☎ （051）740-1700 時 10〜19時（土・日曜は〜20時、入場は1時間前まで） 休 なし 料 W3万
日 英

② 海雲台ビーチを のんびり散歩

水族館を出てすぐ目の前に広がる海雲台ビーチは、のんびりお散歩する人たちが行き交う。約2kmにわたる白砂のビーチウォークを楽しみ、観光案内所の横にある無料の足湯で温泉にも浸かっちゃおう。

海雲台海水浴場

해운대해수욕장
●ヘウンデヘスヨクチャン

MAP 付録P9-C4 交 M2号線海雲台駅から徒歩10分

③ フグ鍋で お手軽ランチ♪

ランチは高級食材フグの専門店でいただこう。フグの切り身がゴロゴロと入った贅沢な1人用鍋、フグ鍋のウンボクW1万4000〜に舌鼓。2階はトラフグ専門でコースW7万〜（要予約）だが、フグづくしのランチW3万〜も狙い目だ。

⬇️シロサバフグのウンボクW1万4000（一人用）。さっぱりしたスープが美味。

クムスボックク
금수복국

MAP 付録P9-C4 ⊗M2号線海雲台駅から徒歩10分 🏠海雲台区中洞1路43番キル23 ☎ (051)742-3600 🕐24時間（2階は11時30分〜14時、17時30分〜22時30分※20時LO）休なし

➡️1階は入りやすい雰囲気。パラダイスホテルからも近い

④ 海と街の眺めを満喫！ プサン エックス ザ スカイ

韓国で2番目に高いことで知られる海雲台LCTの98〜100階に位置する施設。100階にある展望台では、大きな窓越しにシティビューを楽しめる。高層階から見下ろす景色は爽快感たっぷり。

⬅️海雲台のビーチやビル群、ランドマークなどを望める

プサン エックス ザ スカイ
부산엑스더스카이●BUSAN X the SKY

MAP 付録P9-D4 ⊗M2号線中洞駅から徒歩15分 🏠海雲台区タルマジ길30 ☎ (051)731-0098 🕐10〜21時 休なし 料入場料W2万7000

⬆️ギフトショップもある

⑤ ビビビ堂へ

Eマート海雲台店 P84
クラブD オアシス P42
④ プサン エックス ザ スカイ
ゴリラビーチ P59
③ クムスボックク
🅷シグニエル釜山 P89
コーロンシークラウドホテル P89
パレドシズ
🅷 海雲台LCT The Sharp
釜山パダサンド
フェリックス・バイSTX🅷 203
海雲台
新羅ステイ🅷
イビス🅷
アンバサダー釜山海雲台🅷
東横INN🅷 釜山海雲台Ⅱ
足湯🅗🅘
サンセットホテル
🅷
🅷
パラダイスホテル釜山 P89
パラダイス・カジノ
ホテルイルア🅷 P88
🅷
① シーライフ・プサンアクアリウム
松林公園 海雲台海水浴場②
海雲台総合観光案内所
冬柏島（海雲台船着場）
ヒルスパ
空港リムジンバス・市外バスターミナル
ラマダ・アンコール・バイ・ウィンダム
フェアフィールド・バイ・マリオット釜山
地下鉄2号線
中洞 202
オサン公園
海雲台路

Eマート海雲台店 P84 / クラブD オアシス P42 / ゴリラビーチ P59 / シグニエル釜山 P89 / コーロンシークラウドホテル P89 / パラダイスホテル釜山 P89 / ホテルイルア P88

グルメみやげをGet

釜山産ハチミツを使用したキャラメルとクリームチーズを挟んだクッキーサンドが人気の店。

➡️釜山パダキャラメルW3500

釜山パダサンド
부산바다샌드

MAP 付録P9-C3 ⊗M2号線海雲台駅から徒歩4分 🏠海雲台区佑洞1路38番ガキル11 ☎ (0507)1307-7168 🕐11〜19時 休なし 英 自 英

移動も楽しく

空中のレールを走る4人乗りのスカイカプセルと、地上を走る海辺列車がある。ビーチ沿いの絶景を楽しもう。

海雲台ブルーラインパーク
해운대블루라인파크 ➡️P10

MAP 付録P2-B3 ⊗M2号線中洞駅から徒歩20分

⬇️カラフルな色味がキュート

⑤ ゆったり伝統茶を 味わうカフェへ

伝統茶やお茶菓子が楽しめるカフェ。砂糖を使わないカボチャピンスは自然な甘みが美味。タルマジ길のカフェ通りに位置し、ロケーションも抜群。

⬇️お座敷の席もあり、ゆったりできる

ビビビ堂 비비비당●ビビビダン

MAP 付録P2-B3 ⊗M2号線萇山駅から車で6分 🏠海雲台区タルマジ길239-16 4階 ☎ (051)746-0705 🕐10時30分〜21時30分（土・日曜は〜22時）休月曜 自 英

⬆️おしゃれな伝統茶が楽しめると評判

→海沿いにあるカフェ、チーズフォーム広安里（→P27）

必訪観光地＆NEWスポットへ

広安里で
王道観光＆ショッピング

クァンアンリ

繁華街の賑やかさとリゾート感が共存するエリア。海鮮グルメはもちろん、海沿いには雰囲気のよいカフェが軒を連ね、海雲台とはひと味違う時間を過ごせる。トレンドファッションや雑貨の店も多く、旅行から帰った後も使えるおみやげを探すのもおすすめ。広安大橋のライトアップなど夜景もキレイで、1日中めいっぱい楽しめる。

爽やかな景色が楽しめる広安里海水浴場

交M2号線民楽駅から
車で10分

1 ミルラク・ザ・マーケット
　　徒歩15分

2 ヨガコガ広安里
　　徒歩3分

3 ハンダソッ
　　徒歩4分

4 カップ＆カップ
　　徒歩すぐ

5 広安里Mドローンライトショー
　　広安里海水浴場から鑑賞できる

交M2号線広安駅から徒歩10分

コース比較リスト

散策度	♪♪♪	ショッピングを楽しむ
グルメ度	♪♪♪	話題のグルメを食べ歩き
ショップ度	♪♪♪	おしゃれなショップをはしごして
カルチャー度	♪♪	ライトアップに感動！
おすすめ時間帯	10～19時	所要時間 半日
予算目安	食事代 W2万5000＋買い物代	

最先端のトレンド施設
ミルラク・ザ・マーケット

①

↓開放感あふれるライブ会場。広安大橋や漁船が見える

プサンのトレンドを発信する新拠点として注目の複合施設。ファッションや雑貨のショップ、多彩な飲食店が入っており、みどころたっぷり。休憩できるスペースも多いのがうれしい。

ミルラク・ザ・マーケット
밀락더마켓
●MILLAC THE MARKET
MAP 付録P8-A2 交M2号線民楽駅から車で10分 住水営区民楽水辺路17番キル56 ☎(051) 752-5671 時10～24時 休なし

ポップアップストアとして期間限定で営業しているところもあるので一巡してみよう

↓種類豊富なポストカードやマグネットが人気

↓プサン夜酒W1万5000。米の甘い香りがほんのりする蒸留酒

↑機張産ワカメW2000。機張の沖合は水が澄んでおり、ワカメの名産地として有名

②

プサンらしい雑貨ならココ！

店名はプサン弁で「ここが広安里」という意味。プサンの会社が作ったおしゃれなおみやげを豊富に取りそろえる。

ヨガコガ広安里 여가거가광안리
MAP 付録P8-A2 交M2号線広安駅から徒歩13分 住水営区広安海辺路219 ☎(051)-757-1203 時10～22時 休なし

素朴な味のプサン名菓

1954 年創業の歴史ある店。卵せんべいのような素朴な味。個包装のものもあり、おみやげで配りやすい。

⬆ノリ味のせんべい W9000

イデミョンガ 南川店
이대명과 남천

MAP 付録P8-A3 ⊗M2号線金蓮山駅から徒歩9分
㊟水営区広南路48番キル19
☎ (051) 623-3427 ㋣9時30分～21時 ㋡なし

地下鉄2号線 広安市場 ドンハン交通点 広安海岸路 民楽橋 水営湾ヨット競技場

209 広安 ラブイズギビング P36 ロンドナー・ホテル民楽 ⓗAG405ホテル

刺身通り 民楽公園
ラブイズギビング ハートペア P83
⬢アクア・パレス ❶ミルラク・ザ・マーケット
ヨガコガ広安里 ❷ ⬢ホメルス
❸ハンダソッ P17
広安里海水浴場
210 金蓮山 ❺広安里
　　　　Mドローンライトショー
❹カップ＆カップ

広安大橋 Guangande Road

イデミョンガ 南川店

N

0 500m

---

③ ランチは 絶品釜飯

釜飯が人気でウェイティング必至の店。カニや鮭、ウナギなど魚介の釜飯が人気。釜飯に合う専用の米を使用しており、おこげまで味わい深い。釜飯は具材たっぷりで満足できる。種類豊富な小皿のおかずも嬉しい。

⬇ほくほくの鮭の身がおいしい
鮭の釜飯W1万7000

ハンダソッ
한다솥

MAP 付録P8-A3 ⊗M2号線金蓮山駅から徒歩12分 ㊟水営区南川沖路33番ギル101 ☎(0507)1344-0840 ㋣11時～翌0時30分 ㋡なし

➡モダンでくつろげる雰囲気の店内

④ 海の見えるカフェで ドリンクを

建物の4階と5階にあり、4階のカウンターで注文できる。店内は窓際席のほか、ベンチ席もあり、ルーフトップエリアにはテラス席も。おしゃれなドリンクとビーチの景色を楽しんで。

カップ＆カップ
컵앤컵 ●CUP&CUP

MAP 付録P8-A3 ⊗M2号線金蓮山駅から徒歩9分 ㊟水営区広安海辺路177 4階 ☎(051)978-5200 ㋣10時30分～22時（LO21時30分 ※5F・ルーフトップ～20時30分）㋡なし

⬆海がいちばんよく見える窓際の席が人気

⬅ルーフトップエリアのテラス。ビーチを背景にドリンク写真を撮影して

---

⑤ 夜空を彩る ドローンショーに感動！

広安里海水浴場で毎週土曜日の夜に行われるドローンショー。500～600機のドローンが夜のビーチを彩る。プログラムは週替わりなので、いつ行っても楽しい。

広安里Mドローンライトショー
광안리M드론라이트쇼 ● クァンアンリドゥロンライトゥショ

MAP 付録P8-A3 ⊗M2号線広安駅から徒歩10分 ㊟水営区広安海辺路219 ☎(051) 610-4882 ㋣毎週土曜20時・22時～（10～2月は19・21時～の約10分間）※中止する場合もあるので、要事前確認

⬆➡この日は、退職した母へのプレゼントとしてショーのパフォーマンスが行われていた

歴史ある温泉地
トンネオンチョン

東萊温泉で
日帰り湯&古刹めぐり

釜山駅から北へ約14km。金井山麓の東萊温泉は、新羅時代の王も訪れたという歴史ある温泉地。ここではアルカリ性食塩泉の温泉浴に加えて、自然豊かな公園の散策や禅寺の名刹を観光できる。東萊名物のパジョンも味わおう。賑やかな中心街とは趣の異なる郊外への日帰り旅もおすすめ。

↑自然のなかにたたずむ梵魚寺では心休まるひとときを

交🅜1号線梵魚寺駅から車で10分、
または90番バスで15分

1 梵魚寺
🅜1号線梵魚寺駅から15分の🅜1号線温泉場駅下車、徒歩18分

2 金剛公園
徒歩11分

3 虚心庁
🅜1号線温泉場駅から8分の🅜1、4号線東萊駅下車、徒歩10分

4 東萊ハルメパジョン
交🅜1、4号線東萊駅まで徒歩10分

コース比較リスト

街歩き度	♪♪♪	公園やお寺を散策
グルメ度	♪♪♪	東萊の名物料理に舌鼓
ショップ度	♪♪♪	観光地のみやげ物店に立ち寄っても
ビューティー度	♪♪♪	温泉でリラックス
カルチャー度	♪♪♪	点在する史跡を訪ねる
おすすめ時間帯	9〜17時	
所要時間	1日	
予算目安	入場料W1万5000＋交通費W1万〜＋食事代	

① 韓国禅宗の総本山 梵魚寺へ

↓名前の由来は大岩から湧き出る金色の泉に、魚が泳いだとの故事から

678年創建の禅寺で、慶尚南道三大寺院のひとつに数えられる名刹。境内に残る三層石塔以外は、文禄の役でほとんどが焼失し再建されたものだ。金井山の中腹にあり、竹林や赤松などの木々に囲まれ、ハイキング気分で参拝することができる。

梵魚寺

범어사●ポモサ

MAP 付録P2-B1 交🅜1号線梵魚寺駅から車で約10分 金井区梵魚寺路250 ☎ (051) 508-3122 営8〜17時 休なし 料無料

↓すがすがしい空気と緑に心癒される。周辺は紅葉の名所

ちょっと豆知識　韓国人と儒教

韓国人の精神に深く浸透しているのが、朝鮮王朝が政治に導入した儒学の精神。これは漢学をはじめ学問に励み、礼節を保ち、世襲される姓や家を大切にするというもの。その思想は現在も色濃く残っており、日本よりも目上の人を敬う気持ちが強いのもそのひとつ。また、出身地と姓を重視する同族意識が強いため、結婚後も女性は姓を変えないのが一般的だ。

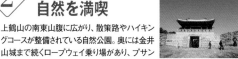

↑ロープウェイの山頂駅から20分ほど歩いたところには展望台もある

② 金剛公園で 自然を満喫

上鶴山の南東山腹に広がり、散策路やハイキングコースが整備されている自然公園。奥には金井山城まで続くロープウェイ乗り場があり、プサン市街を見下ろす10分ほどの空中散歩を楽しめる。↑金井山城を囲む門

↓春は桜、秋には紅葉が美しいスポット

金剛公園

금강공원● クムガンコンウォン

MAP 付録P7-A2 ⊗M1号線温泉場駅から徒歩18分 ☎(051) 860-7880 ⊛入園自由。ロープウェイは9時30分～17時30分(土・日曜は～18時)※時期によって変動 休月曜 料片道W7000、往復W1万1000

③ 虚心庁で アカスリ体験

農心ホテルに併設する東莱地区のランドマーク的温泉施設。温泉はもちろんお手頃料金でチムジルバン(W1万5000～)やアカスリ(男性W3万、女性W4万)も体験したい。温泉は大温泉風呂をはじめ、露天、檜、洞窟などさまざまな浴槽で満喫できる。時間に余裕をもってのんびりと楽しみたい。

虚心庁

허심청● ホシムチョン →P45

MAP 付録P7-B2 ⊗M1号線温泉場駅から徒歩10分

↑受付には日本語スタッフもいるので、安心して利用できる

↑リゾートホテルのような雰囲気も魅力

時間がない人は足湯をどうぞ

虚心庁周辺には無料の足湯が2カ所設置されている。時間のない人はぜひこちらへ。区役所の職員が日本で見た足湯をヒントに作ったのだとか。

↑時間がなくても気軽に温泉体験できちゃう

東莱温泉露天足湯

동래온천 노천족탕● トンネオンチョン/ノチョンジョッタン

MAP 付録P7-B2 ⊗M1号線温泉場駅から徒歩10分 ⊛1～2月11～16時、3～6月10～17時、9～12月10～16時 休火・木曜、雨天時、7～8月 料無料

←東莱パジョンW4万(大)、W2万2000(小)

④ 名物東莱パジョン をいただく!

東莱をたっぷり満喫したら、最後は名物のパジョンを。4代にわたるこの店は、もち米の粉を混ぜ小魚でとっただしで練った生地がもちもちの食感で美味。さすがは朝鮮王朝の王様に献上していたという逸品だ。具材もムール貝、ハマグリ、牛肉と贅沢な内容で、付け合せや韓菓もおいしい。

東莱ハルメパジョン

동래할매파전● トンネハルメパジョン

MAP 付録P7-B3 ⊗M1、4号線東莱駅から徒歩10分 ⊛東莱区明倫路94番キル43-10 ☎(051) 552-0791 ⊛11時30分～21時30分 休月・火曜 ⊟百

↑自家製ドンドン酒も人気

プサンから日帰り世界遺産の旅
慶州（キョンジュ）で新羅の時代へタイムスリップ！

新羅王朝の都が置かれた古都・慶州。1000年にわたり新羅の中心にあったため、随所に史跡が残り、街がまるごと"屋根のない博物館"と称される。郊外の山中に立つ石窟庵と仏国寺、さらに市内中心部の古墳群などが慶州歴史遺跡地区として世界遺産に登録。時間があれば慶州に滞在したいが、プサンからの日帰りツアーもある。

●ソウル
慶州○
○釜山

1：古墳公園（→P76）は慶州最大の古墳群 2：南山エリアに残る三体石仏（MAP P75-A2） 3：仏国寺（→P75）の本殿 4：皇龍寺址（MAP P75-A1） 5：東洋最古の天文台・瞻星台（チョムソンデ→P76） 6：ドラマで話題になった善徳女王陵（MAP P75-A1）

↓石窟庵の本尊。周囲を十一面観音菩薩や八部神衆などのレリーフが囲む（写真協力／韓国観光公社）

コース比較リスト

散策度	♪♪♪	石窟庵など、敷地内はかなり歩く
グルメ度	♪♪	ランチやおやつは市内中心部で
ショップ度	♪	古都らしい工芸品を探したい
ビューティー度	♪♪	悠久の時にふれて心が清らかに!?
カルチャー度	♪♪♪	国内外の観光客が訪れる史跡の宝庫
おすすめ時間帯		7〜18時
所要時間		（+αありの場合）約7時間30分
予算目安		食事代W1万5000＋交通費

🚌慶州駅から市外バスとシャトルバスで50分

1 石窟庵

シャトルバスで20分
2 仏国寺
+αするなら
バスで10分
慶州民俗工芸村
車で25分
3 クロサムパプ
+αするなら
徒歩7分
瞻星台・雁鴨池
徒歩15分
4 古墳公園（大陵苑）
車で5分
5 国立慶州博物館
🚌慶州駅までバスで10分

プサンから慶州へのアクセス

鉄道…釜山駅からKTX（超高速鉄道）が1日20便程度運行。所要約30分で慶州駅に到着。W1万1000〜。日本からのウェブ予約も可能で、当日に窓口で予約確認証と乗車券を引換。
URL www.letskorail.com/

バス…地下鉄釜山駅から37分の老圃駅直結、釜山総合バスターミナル（付録P2-B1）から高速バスが1日に6本運行。所要時間は約50分で料金はW7700。また、金海国際空港からは市外バスが1〜2時間に1本運行。所要時間約70分で料金はW9500。高速バスは慶州高速バスターミナル（MAP P75-B1）に、市外バスは慶州市外バスターミナル（MAP P75-B1）に到着。

慶州のまわり方

古墳公園を中心にした市内中心部は徒歩や自転車でまわれる。郊外へはタクシーやバスを利用する。時間のない場合はタクシーをチャーターするのがおすすめ。

タクシー…観光地だけに台数は多い。基本はメーター制で初乗りはW4800。ただし市内から郊外へは交渉制になることも多い。郊外では流しのタクシーは見つからないので、何カ所か巡るならチャーターが便利。料金は5時間でW12万が目安。交渉は観光案内所（MAP P75-B1）へ。

市内バス…郊外の観光地はバス路線が網羅している。観光客に便利なのは、慶州市外バスターミナル〜慶州郵便局〜慶州民俗工芸村〜仏国寺〜国立慶州博物館などに停まる10番（逆回りは11番）の循環路線。仏国寺〜石窟庵にはシャトルバスが運行（1時間に1本、W1700）。市バスの料金は一般バスW1300、定員制の座席バスW1700。運行時間は6時〜22時30分ころまで。※すべて時刻は季節で異なる。

レンタサイクル…中心街の名所をまわるときに便利。レンタサイクル店は慶州駅や慶州高速バスターミナル周辺にあり、料金は1時間W3000〜、1日W8000程度。

A　右図
P89 ラハンセレクト慶州 H
千軍路　普門湖
古墳公園
（大陵苑）　皇龍寺址
慶州中心部　国立慶州博物館
コモド慶州 H
P89 ヒルトン慶州 H
西岳エリア
武烈王陵　●善徳女王陵
五陵
普門観光団地エリア
南山城址
鮑石亭　●神武王陵
花郎の家
南山スカイウェイ
南山エリア
●三体石仏
南山　●南山寺址

南山にはいくつかの登山コースがあり入口も異なるので、事前に観光案内所などで調べておきたい

慶州民俗工芸村
新羅歴史科学館
慶州コーロン
仏国寺前観光案内所
仏国寺・石窟庵エリア

仏国寺 ②

石窟庵 ①
吐含山 ▲

仏国寺から石窟庵までは山道の登り坂になる

●神仙庵磨崖菩薩半伽像
●七仏庵磨崖石仏座像

慶州駅へ
KTX（高速鉄道）
●釜山へ
掛陵
釜山へ
A　　B

0　　500m
（良洞民俗村行き）
慶州市外バスターミナル
慶州郵便局
バスターミナル　皇南パン
観光案内所
太宗路　入口
●天馬塚
レンタサイクル
（仏国寺、普門湖行き）
慶州高速バスターミナル
古墳公園（大陵苑）④
西川
西岳
兄山江
鮑石路
花郎路
レンタサイクル
千軍路
③ クロサムパブ
雁鴨池
●瞻星台　石氷庫
鶏林
校洞法酒　半月城
国立慶州博物館⑤

N

0　　2km

観光案内所
■慶州駅前 ☎(054)771-1336　㋺9～18時（冬期は～17時）㋬なし
■高速バスターミナル前 ☎(054)772-9289　㋺9～18時（冬期は～17時）㋬なし　MAP P75-B1
■仏国寺前 ☎(054)746-4747　㋺9～18時　㋬なし　MAP P75-B2

① 新羅仏教美術の粋
石窟庵を拝観

吐含山の山中に、統一新羅の宰相・金大城が774年に建立。石をドーム型に積み上げ、その上を土で覆った人工の石窟に、本尊・釈迦如来像が鎮座する。その顔は、東海からの日の出の光が最初に当たる方角を向いている。慈愛に満ちた顔立ち、やわらかなシルエットは、東アジアの仏教美術の至宝だ。保護のためガラス越しの拝観となるものの、慈悲のオーラは十分に伝わってくる。

石窟庵

석굴암● ソックラム

MAP P75-B2　㊅慶州駅から車で50分　㊥慶州市佛国路873-243

☎(054) 746-9933㋺9～18時（季節により異なる）㋬なし㊒無料

●Memo
慶州民俗工芸村（➡ P76）にある新羅歴史科学館では、石窟庵の建築過程と構造を模型で紹介。ガラスで覆われた庵の内部がよくわかる。
☎(054) 745-4998 ㋺10～17時
㋬月曜 ㊒W5000

② 仏国寺で仏教の
理想郷を体感

創建751年と伝えられる古刹。木造建築は文禄の役で焼失するも、戦火を免れた青雲・白雲橋、釈迦塔、多宝塔などは、新羅の高度な造形技術を今に伝える。自然と調和をなす大伽藍で、仏の国の理想郷を実感。

↓手前は蓮華・七宝橋、奥が青雲・白雲橋

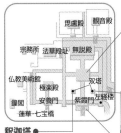

仏国寺 불국사● プルグクサ

MAP P75-B2　㊅慶州駅から車で32分　㊥慶州市 佛国路385 ☎(054) 746-9913
㋺9～17時 ㋬なし ㊒無料

毘盧殿　観音殿
宗務所　法華殿址　無説殿
仏教美術館　極楽殿　双塔
鐘閣　安養門　紫霞門　左経楼
蓮華・七宝橋

釈迦塔
均整のとれた男性的な構築は、統一新羅時代の石塔の典型。1966年の修復時に内部から木版印刷「無垢浄光陀羅尼経」が発掘

●Memo
寺の入口は2つあるが、浄土の小宇宙を象徴する構造を実感するには、正門（一柱門）から入り、解脱橋➡天王門➡青雲・白雲橋の前、というルートで参拝を。

大雄殿
1765年に再建された本殿。釈迦牟尼仏を本尊に、弥勒菩薩（未来の仏）、羯羅菩薩（過去の仏）が並び、この仏国土に過去・現在・未来の三世仏がいることを表す

多宝塔
統一新羅時代としては斬新な造形で、女性的な曲線が釈迦塔と好対照。基壇の獅子像は当初4体あったが、1体のみ現存している

青雲橋（下）・白雲橋（上）
現世から仏の世界へと導く橋。あわせて33段の石段は仏の境地に達していない数字を象徴している

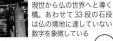

慶州民俗工芸村で逸品探し

敷地内に伝統工芸を受け継ぐ20ほどの工房が点在し、制作風景の見学や工芸品の購入もできる。なかでもおすすめは新羅の歴史を感じる新羅土器。買い付けから加工まで行うため、価格も良心的。

慶州民俗工芸村
경주민속공예촌●キョンジュミンソッコンイェチョン

MAP P75-B2 ⊗仏国寺バス停から11番バスで10分、慶州民俗工芸村前下車 ⊕慶州市鰕洞工藝村キル40 ☎(054) 746-7270 ⊕9~18時(冬期は~17時) ㉺なし

新羅窯 シンラヨ

1~10世紀に使われていた新羅土器の技術を再興した柳孝雄氏の窯。仏教国・新羅で好まれた蓮華模様の瓦装飾(左)W1万や埴輪各W1万5000などのほか実用品も扱う。

---

③ ランチはご当地名物サムパプ

慶州の名物料理といえば、葉もの野菜でご飯やおかずを包んで味わうサムパプ。古墳公園東側の鶏林路に専門店が点在している。その一軒がクロサムパプ。葉野菜に包む5種類の塩辛は季節ごとに替わる。多彩なおかずと一緒に頬ばって。

クロサムパプ
구로쌈밥

MAP P75-B1 ⊗慶州駅から車で20分 ⊕慶州市瞻星路155 ☎(054) 749-0600 ⊕10時~19時30分 ㉺なし

▲テーブルいっぱいに30種類以上のおかずがずらりと並ぶ。サムパプW1万5000

+おやつに

慶州名物**皇南パン**(MAP P75-B1)をおやつやおみやげにどうぞ。小豆餡の入ったやさしい甘さの饅頭は1個W1200。

時間があればぜひココへも!

---

④ 慶州最大の古墳群、古墳公園へ

新羅王朝の王族の古墳、大小23基が点在し、慶州にある古墳群のなかで最も規模が大きい。第13代王(在位262~283年)の味郷(ミチュ)王陵を除き、被葬者は判明していない。唯一、天馬塚(チョンマチョン)が内部を公開。造営は5~6世紀とされ、内部構造を再現。

古墳公園(大陵苑)
고분공원●コブンコンウォン

MAP P75-B1 ⊗慶州駅から車で20分 ⊕慶州市鶏林路9 ☎(054) 771-8650 ⊕9~22時 ㉺なし ㉺無料(一部有料)

▲古墳と古墳の間は散策路になっている

瞻星台
첨성대●チョムソンデ

7世紀前半に陰暦の1年の日数と同じ361個と半分の花崗岩で築造された東洋最古の天文台。

MAP P75-B1 ⊗慶州駅から車で20分 ⊕慶州市仁旺洞839-1 ☎なし ⊕9~21時 ㉺なし ㉺無料

春分や秋分、夏至や冬至で、中ほどの窓から差す光を記録した

---

⑤ 国立慶州博物館でしめくくる

考古館、美術館、雁鴨池館の3つの常設館を中心に、先史時代から統一新羅までの文化遺産3000点以上を展示。古墳から発掘された貴重な装身具や仏教美術が数多く並ぶ。

考古館、美術館の案内カウンターで館内図をもらおう

国立慶州博物館
국립경주박물관●クンニブキョンジュバンムルグァン

MAP P75-B1 ⊗慶州駅から車で20分 ⊕慶州市日精路186 ☎(054) 740-7500 ⊕10~18時(土曜、祝日は~19時。3~12月の土曜、毎月最終水曜は~21時)※入館は閉館1時間前まで ㉺なし ㉺無料(オーディオガイド無料)

▲屋外に展示される771年完成の聖徳大王神鐘

雁鴨池
안압지●アナプジ

新羅の文武王により674年に造られた離宮の人工池。宴の興を盛り上げた木製サイコロなどの出土品は、国立慶州博物館内「雁鴨池館」に展示されている。

MAP P75-B1 ⊗慶州駅から車で20分 ⊕慶州市源花路102 ☎(054) 750-8655 ⊕9~21時 ㉺なし ㉺W3000

▲宴席や会議などで使用

Topic 5

おすすめスポット

Recommendation

紹介しきれなかったスポットを
ジャンル別に紹介。エンタメや穴場の店など
プサンをもっとディープに楽しみたい人は必見。

まだある！
観光スポット

観音様を祀った海東龍宮寺や、
プサンの歴史がわかる釜山博物館など、
みどころが多彩。街全体にアートが
施された甘川文化村も必見。

📷 見る ｜ 釜山南部　　　　　MAP 付録P2-B3

釜山博物館
부산박물관●プサンバンムルグァン

王朝の秘宝を目の当たりに

石器時代の出土品から朝鮮王
朝時代の国宝まで、多数の文化
遺産が展示されている歴史博物
館。広いので、時間に余裕をもと
う。入場は閉館60分前まで。

DATA ⊗Ⓜ2号線大淵駅から徒歩
10分 ⊕南区UN平和路63 ☎
(051) 610-7111 働9～18時 休
月曜 料無料

📷 見る ｜ 甘川洞　　　　　MAP 付録P2-A3

甘川文化村
감천 문화마을●カムチョン ムヌァマウル

街歩きが楽しくなるエリア

もとは朝鮮戦争の避難民が移
り住んでできた階段式住居だっ
たが、2009年と2010年のアー
トプロジェクトによりカラフルな
街並みに。散策にピッタリ。(→
P11)

DATA ⊗Ⓜ1号線土城駅から車で
5分 ⊕沙下区甘内2路203 ☎
(051) 291-1444 働9～17時

📷 見る ｜ 巨済市　　　　　MAP 付録P2-B4

巨済島
거제도●コジェド

温暖な気候でのんびり

韓国で2番目の大きさを誇り、巨
加大橋を使って陸路で行ける
島。周辺には大小の島が点在し、
自然の景観美が楽しめる。避暑
地としても有名な、外島への玄
関口。

DATA ⊗Ⓜ2号線沙上駅すぐの西
部市外バスターミナルから古懸(ゴ
ヒョン)行きバスで80分、終点下車
⊕慶尚南道巨済市

📷📷 見る ｜ 海雲台　　　　　MAP 付録P9-C2

冬柏公園
동백공원●トンベッコンウォン

白い灯台が目印のウォーキングスポット

市民の憩いの場として親しまれ
ている公園。園内には2005年
に首脳会議が行われた「ヌリマ
ルAPECハウス」があり、内部見
学も可(9～18時、第1月曜は休
館)。

DATA ⊗Ⓜ2号線冬柏駅から徒歩
10分 ⊕海雲台区冬柏路99一帯
☎ (051) 749-4491(海雲台区観
光課) 働24時間 休なし 料無料

上：夜になるとライトアップされるヌリマルAPECハウス
下：フォトジェニックな白い灯台は冬柏公園名物！

📷 見る ｜ 釜山東部　　　　　MAP 付録P2-B4

海東龍宮寺
해동용궁사●ヘドンヨングンサ

対馬まで望めるナイスビュー

すぐ目の前に海が広がる、1376
年創建の寺院。真心をこめて祈
ると願いが叶うといわれており、
国内外から多くの参拝客が訪れ
る。

DATA ⊗Ⓜ2号線海雲台駅から車
で15分 ⊕機張郡機張邑龍宮キル
86 ☎ (051) 722-7744 働4時
30分～19時20分 休なし 料無料

📷 見る ｜ 巨済市　　　　　MAP 付録P2-B4

外島
외도●ウェド

貴重な植物も見られる

ドラマ『冬のソナタ』のロケ地と
しても知られ、島内全体が亜熱
帯植物園になっている島。個人
所有のため、滞在時間は2時間
と決まっているので注意。

DATA ⊗巨済島(左記)から遊覧
船を利用、所要30分 ⊕巨済市一
運面 働夏季8～19時、冬季8時30
分～17時 料植物園入場料W1万
1000

まだある！
グルメ

焼肉はもちろん、名物のテジクッパや
海鮮料理なども外せない。
近年急増中のおしゃれなカフェや、
マッコリ居酒屋へも足を運びたい。

🍴 食べる ｜ 西面 　　　　　MAP 付録P6-A2

ケミチプ
개미집

24時間営業のタコ鍋料理店

新鮮なタコがゴロゴロと入った
ナクチポックムは、ご飯にのせ
て食べるとさらにおいしい。1人
前から注文ができるので、1人旅
でも気軽に利用できる。

DATA ⊗ Ⓜ1、2号線西面駅から徒
歩5分 ⊕鎮区新川大路62番キル
73号 ☎ (051) 819-8809 ㊂24
時間 ㊡なし 🈂

🍴 食べる ｜ 南浦洞 　　　　　MAP 付録P4-A4

ペッカヤンゴプチャン
백화양곱창

4種の新鮮なホルモンを贅沢にいただく

カウンター越しに、おばちゃんが
目の前で焼いてくれるホルモン
店。ミノや大腸、小腸、ハツがた
っぷりのハンチョプシW3万
9000(300g)は、ぷりぷりの歯
ごたえがたまらない。

DATA ⊗ Ⓜ1号線チャガルチ駅か
ら徒歩5分 ⊕中区チャガルチ路23
番キル6 ☎ (051) 245-0105 ㊂
12～24時 ㊡第1・3・5日曜 🈂

🍴 食べる ｜ 南浦洞 　　　　　MAP 付録P4-A2

鍾路ピンデトッ
종로 빈대떡 ●チョンノピンデトッ

香ばしい油の香りが漂うチヂミ

人気のパジョン(ネギチヂミ)や
臼で挽いた緑豆を油で焼いたピ
ンデトッW8000～の専門店。
エビやカキなどが入った海鮮チ
ヂミも。(→P17)

DATA ⊗ Ⓜ1号線チャガルチ駅か
ら徒歩3分 ⊕中区中区路29番キ
ル30 ☎ (051) 256-4649 ㊂10
時30分～23時 ㊡なし 🈂

🍴 食べる ｜ 南浦洞 　　　　　MAP 付録P6-A4

南浦参鶏湯
남포삼계탕 ●ナムポサムゲタン

濃厚なスープが自慢

地鶏や鶏の足を12時間かけてじ
っくり煮込むとろとろのスープの
参鶏湯W1万7000が人気。参鶏
湯用の丸鶏をこんがり揚げたチ
ョンギグイW1万8000もオスス
メ。

DATA ⊗ Ⓜ1号線南浦駅、チャガ
ルチ駅から徒歩3分 ⊕中区南浦
キル16-1 ☎ (051) 245-5075 ㊂
11時～21時 ㊡なし 🈐🈂

🍴 食べる ｜ 南浦洞 　　　　　MAP 付録P5-C3

ソムジンガン
섬진강

しじみのだしがやさしい味わい

肝臓の働きを助けるグリコーゲ
ンが豊富なしじみ汁定食W1万
2000は、朝食にぴったり。蟾津
川(ソムジンガン)というしじみ
の産地でとれたものを使用して
いる。

DATA ⊗ Ⓜ1号線南浦駅から徒歩
3分 ⊕中区光復路85番キル15-1
☎ (051) 246-6471 ㊂7～15時
㊡土 🈐

🍴 食べる ｜ 南浦洞 　　　　　MAP 付録P6-A4

18番ワンタン屋
18번 완당집 ●シッパルポンワンダンチブ

地元で人気のツルとろワンタン

1948年創業の老舗。店の一角
では、職人たちが手早くワンタ
ンを包んでいる様子が見られる。
人気メニューは、いなり寿司とキ
ムパプが付いたワンタンセット
W1万2000。

DATA ⊗ Ⓜ1号線チャガルチ駅か
ら徒歩5分 ⊕中区BIFF広場路31
☎ (051) 245-0018 ㊂10時30
分～19時30分 ㊡なし 🈐🈂

🍴 食べる ｜ 南浦洞 　　　　　MAP 付録P4-B2

トルゴレスンドゥブ
돌고래순두부

牛骨だしの濃厚なスンドゥブ

変わらない伝統の味と安い値
段で人気を誇るスンドゥブ店。
気軽に食べられるので地元の
人も観光客まで幅広く支持を
集めている。スンドゥブペッ
パンW8000は必食。

DATA ⊗ Ⓜ1号線チャガルチ駅か
ら徒歩5分 ⊕中区中区路40番キ
ル17 2階 ☎ (051) 246-1825 ㊂
7～21時 ㊡なし 🈐🈐🈂

イムンセ 広安里

🍴 食べる ｜ 広安里 　　　　MAP 付録P8-A3

이문새 광안리●イムンセクァンアンリ

広安大橋が一望できる店

波の音を聞きながらプサンの海鮮が味わえる店。周囲の建物より海が近いのも魅力。広安大橋が一望でき、ドローンショーも見られる。　DATA ⊗Ⓜ2号線金蓮山から徒歩9分 ⑮水営区広安海辺路177 Jビルディング3階 ☎(0507)1364-3776 ⑯16時～翌3時 ⑭なし

松亭3代クッパプ

🍴 食べる ｜ 西面 　　　　MAP 付録P6-A1

송정3대국밥●ソンジョンサムデクッパプ

創業からの味を守る店

化学調味料不使用の豚骨スープは豚のうま味が感じられる。テジクッパW9000には味がほとんどついていないため、塩辛やキムチで調節して、自分好みの味に。　DATA ⊗Ⓜ1、2号線西面駅から徒歩3分 ⑮釜山鎮区西面路68番キル29 ☎(051)806-5722 ⑯4時30分～翌2時30分 ⑭なし 旦

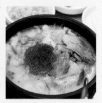

馬山食堂

🍴 食べる ｜ 凡一洞 　　　　MAP 付録P3-B2

마산식당●マサンシクタン

あっさりスープが人気

馬山出身の女性店主が1971年に創業。食がテーマの漫画『食客』で紹介され、その名が広く知られるようになった。一番人気はテジクッパW9000。ヘルシーな味わいが評判に。　DATA ⊗Ⓜ1号線凡一駅から徒歩3分 ⑮釜山鎮区自由平和路19 ☎(051)631-6906 ⑯24時間 ⑭なし

ポハンテジクッパ

🍴 食べる ｜ 西面 　　　　MAP 付録P6-A1

포항돼지국밥

創業70年の老舗テジクッパ

24時間煮込んだスープと豚肉たっぷりのテジクッパW9000が人気。別皿でそうめんも付いてくるので、投入すればかなりの満足感。ホルモンクッパW9000もぜひ。　DATA ⊗Ⓜ1、2号線西面駅から徒歩5分 ⑮釜山鎮区西面路68番キル27 ☎(051)807-5439 ⑯5時～21時40分 ⑭なし 旦 変

済州家

🍴 食べる ｜ 南浦洞 　　　　MAP 付録P5-C3

제주가●チェジュガ

本格済州島料理をプサンで

アワビ粥W1万1000やソンゲクク（ウニのスープ）W1万2000、アマダイ定食W1万1000(小)などの代表的な済州島料理が味わえる。早朝から営業しているので、朝ごはんにも。　DATA ⊗Ⓜ1号線南浦駅から徒歩4分 ⑮中区光復路85番キル8 ☎(051)246-6341 ⑯8～14時 ⑭なし 旦

東豆川プデチゲ

🍴 食べる ｜ 南浦洞 　　　　MAP 付録P6-A4

동두천 부대찌개●トンドゥチョン プデチゲ

食べごたえ抜群な韓国定番メニュー

プデチゲの本場・東豆川の有名店から調理法を伝授されたという、本格的なプデチゲW8000を提供。キムチやナムルのほか、ラーメンやご飯のおかわりもできる。　DATA ⊗Ⓜ1号線チャガルチ駅から徒歩4分 ⑮中区BIFF広場路33-1 地下1階 ☎(051)256-1416 ⑯10時30分～23時 ⑭水曜

釜山トンダク

🍴 食べる ｜ 西面 　　　　MAP 付録P6-A2

부산통닭

野菜たっぷりチキンのやみつきになる辛さが◎

創業50年以上の鶏肉専門店。春雨やジャガイモなどの野菜と鶏肉を煮込んだタクチム(鶏肉の蒸し煮)W2万(2～3人前)が看板メニュー。ヤンニョムチキンなどの定番メニューも揃う。　DATA ⊗Ⓜ1、2号線西面駅から徒歩5分 ⑮釜山鎮区西面路68番キル38 ☎(051)806-1777 ⑯11～23時 ⑭なし 旦 変

テファユッケジャン

🍴 食べる ｜ 西面 　　　　MAP 付録P6-A1

태화육개장

老舗のユッケジャン専門店

1962年創業。看板メニューのユッケジャンW1万は、24時間煮込んだ牛骨スープに細く裂いた牛肉とたっぷりのもやし、長ネギが入る。お酒をたしなむ人にはスユクW2万5000～もおすすめ。　DATA ⊗Ⓜ1、2号線西面駅から徒歩5分 ⑮釜山鎮区西面文化路18 ☎(051)802-5995 ⑯8時30分～21時30分 ⑭第1・3日曜 旦 変

🍴 食べる ｜ 南浦洞 ｜ MAP 付録P4-B4

ハドンフェッチブ
하동횟집

イキのいい鮮魚をその場で

チャガルチ市場の2階に位置す
る人気店。生け簀で泳ぐ鮮魚を、
その場で刺身にしてくれる。値段
は魚の種類などにより異なるが、
1kgのヒラメ、タイがW4万〜。

DATA ⊗M1号線チャガルチ駅か
ら徒歩5分 ⊕中区チャガルチ海
安路52 2階 ☎ (051) 246-6710
⊕10時〜21時30分 ⊛第1・3火
曜

🍴 食べる ｜ 西面 ｜ MAP 付録P6-A2

ヤンサンココトンダク
양산꼬꼬통닭

夜食の定番チキンを堪能

新鮮な油を使ったチキンW2万
(2〜3人前) は、外はパリッ、中
はジューシーでビールW5000
のお供にぴったり。お店の一番
人気はオリジナルフライドチキ
ン！ ぜひオーダーしよう。

DATA ⊗M1、2号線西面駅から徒
歩5分 ⊕釜山鎮区西面路52
☎ (051) 806-1634 ⊕24時間
⊛なし

🍴 食べる ｜ 釜山大 ｜ MAP 付録P7-B1

伝統スッミルミョン
전통쑥밀면●チョントンスッミルミョン

ヨモギ入り特製麺

小麦粉とヨモギをブレンドした
自家製麺のスッミルミョン
W7000(小) は独特の香りがク
セになる。オリジナルスープには
数種類の韓方が使われており、
健康にもいい。

DATA ⊗M1号線釜山大学駅から
徒歩5分 ⊕金井区釜山大学路38
☎ (051) 515-9337 ⊕10時30
分〜21時 ⊛なし

🍴 食べる ｜ 海雲台 ｜ MAP 付録P9-D4

ソムンナン・テグタン
소문난대구탕

身もふっくらのタラ鍋

タラと野菜を煮込んだテグタン
(タラ鍋) W1万1000の専門店。
唐辛子ベースのスープはピリ辛
ながらタラのだしが効いていて、
すっきりとした上品な味わい。

DATA ⊗M2号線海雲台駅から徒
歩15分 ⊕海雲台タルマジキル62
番キル31 ☎ (051) 743-6344
⊕8〜21時(土・日曜は7時30分〜)
⊛火曜 (不定期) [旦][英]

🍴 食べる ｜ 広安里 ｜ MAP 付録P8-A3

ハルメジェチョクッ
할매재첩국

滋味深いシジミの味わい

シジミの栄養たっぷりのシジミ
汁が味わえる。人気メニューは
ビビムバプとおかずが付い
たジェチョッ定食W1万1000。
ボリューム満点でリーズナブル。

DATA ⊗M2号線金蓮山駅から徒
歩10分 ⊕水営区広南120番キ
ル8 ☎ (051) 751-7658 ⊕6時
30分〜21時 ⊛なし [旦][英]

🍴 食べる ｜ 南浦洞 ｜ MAP 付録P4-A3

タルマル
달마루

手作りのドンドン酒が人気

昔ながらの雰囲気が漂い、週末の
夜は地元客で賑わう民俗居酒屋。
自家製のドンドン酒W8000は
発酵食品独特の甘みと酸味が効
いた味わいが特徴だ。スンデポック
クムW1万5000も人気メニュー。

DATA ⊗M1号線チャガルチ駅か
ら徒歩3分 ⊕中区光復路6番キル
7-1 ☎ (051) 247-9555 ⊕17〜
24時(金・土曜は〜翌2時) ⊛なし

🍴 食べる ｜ 広安里 ｜ MAP 付録P8-A3

ソルビン
설빙

トースト×トッの未知なる出合い

トーストにインジョルミ(きな粉餅)
を挟んだり、トッ(韓国餅) をクッ
キーにアレンジしたりと驚きのア
イデアで楽しませてくれる。イン
ジョルミトーストW4500も好評。

DATA ⊗M2号線金蓮山駅から徒
歩4分 ⊕水営区広南48番キル
14 ☎ (010) 8608-7779 ⊕13
時〜22時30分 ⊛なし [旦][旦]

🍴 食べる ｜ 水営 ｜ MAP 付録P2-B3

宝城緑茶
보성녹차●ポソンノクチャ

素朴なかき氷にほっこり

宝城緑茶の販売店に併設。粗め
のかき氷に少量の牛乳をかけ、
たっぷりのあんこと抹茶をトッ
ピングしたパッビンスは、1杯
W4000とリーズナブル。テイク
アウトも可能だ。

DATA ⊗M2号線南川駅から徒歩
5分 ⊕水営区水営路394番キル
28 ☎ (051) 625-5544 ⊕10〜
22時 ⊛なし

西面市場の東側に、テジクッパの店が連なる"テジクッパ通り(→P53)"とよばれる路地がある(MAP付録
P6-A1)。ランチや夜食にぴったりなテジクッパが食べたいときは、ぜひここへ行こう。

まだある！
ショッピング

一度に何でも揃う大型店から、
個性的なファッションショップまで
人気のブランドが目白押し。日本と比べて
リーズナブルなのもうれしい。

買う｜南浦洞　　　　　MAP 付録P5-C3

光復地下ショッピングセンター
광복지하쇼핑센터●クァンボクチハショッピンセント

食堂も集まる大型地下街

地下鉄中央駅から南浦駅にかけ
て延びる、約100mの大型地下
街。市民の憩いの場にもなって
おり、中央駅側には地元民御用
達の食堂も多数集まっている。
DATA ⊗M1号線南浦駅、中央駅
に直結 ⊕中区中央大路地下街
☎ー ㊡店により異なる

買う｜南浦洞　　　　　MAP 付録P5-C3

ロッテ百貨店 光復店
롯데백화점 광복점●ロッテベックァジョム　クァンボクチョム

南浦洞のランドマーク的存在

南浦駅に直結している便利な立
地。海も山両方の眺望が楽しめ
る展望台や、噴水ショーといった
エンタメスポットも豊富。高級韓
国菓子など、こだわり食みやげ
の調達にもおすすめ。
DATA ⊗M1号線南浦駅直結 ⊕中
区中央大路2 ☎1577-0001 ㊙10
時30分～20時(金・土曜は～20時
30分) ㊡月1回不定休 Ⓙ㊗

上：デパ地下はおみやげ調達にも便利
下：カジュアルブランドも多く入っている

買う｜南浦洞　　　　　MAP 付録P4-A4

農協ハナロマート
농협 하나로마트●ノンヒョプ ハナロマトゥ

食みやげ探しならココ

チャガルチ駅すぐにある、地元
密着型スーパー。農協が運営し
ているため、リーズナブルで安
全な食材が購入できる。調味料を
はじめ充実した品揃えで地元の
人にも人気。
DATA ⊗M1号線チャガルチ駅か
ら徒歩1分 ⊕中区九徳路73
☎(051) 250-7700 ㊙8～22時
㊡第2・4日曜

買う｜南浦洞　　　　　MAP 付録P5-C3

ロッテマート 光復店
롯데마트 광복점●ロッテマート クァンボクチョム

ロッテ百貨店地下の大型スーパー

ロッテ百貨店の地下に3200坪
以上もの売り場が広がる大型ス
ーパー。その場で免税手続きが
できるレジもある。パスポートの
持参を忘れずに。(→P35)
DATA ⊗M1号線南浦駅直結 ⊕
中区中央大路2 ☎(051) 441-
2500 ㊙10～23時 ㊡第2・4日曜
Ⓙ㊗

買う｜南浦洞　　　　　MAP 付録P4-B3

キサダショップ
키사다샵●Kisada shop

エスニックテイスト好きなら

エスニックテイストのワンピース
W5万などのファッションアイテ
ムが揃う。日本人リピーターや
若者から大人まで幅広い層に愛
される。
DATA ⊗M1号線南浦駅から徒歩
7分 ⊕中区光復中央路12-5
☎なし ㊙12時～20時30分
㊡なし Ⓙ㊗

買う｜南浦洞　　　　　MAP 付録P4-A2

国際漆器
국제칠기●クッチェチルギ

質のいい漆芸品が並ぶ

普段使いにピッタリの素朴な漆
芸品が揃う。職人によるハンドメ
イドの品が多く、細部の装飾に
もこだわりが感じられる。評判を
聞きつけて訪れる日本人観光客
も多数。
DATA ⊗M1号線チャガルチ駅か
ら徒歩7分 ⊕中区国際市場2キル
15A棟1階 ☎(051) 245-7824
㊙9～18時 ㊡日曜

買う｜南浦洞　MAP 付録P5-C3

永豊文庫
영풍문고●ヨンプンムンゴ

全国展開する大型書店

本やCD、DVD、文房具などを
扱う大型書店。購入前の本をゆ
っくり読める空間も用意されて
いて、居心地のよさが人気。
K-POP音盤コーナーには、日本
未発表作品も多数揃っている。
DATA ⓂM1号線南浦洞駅からすぐ
⊕中区中区路2アクアモール5階
☎(051) 678-4100 ⏰10時30
分～21時 ㊡月1回不定休

ジャンル分けされているので、探しやすい

買う｜南浦洞　MAP 付録P4-A2

ひまわり食品
해바라기식품●ヘバラギシクプム

人気のおみやげがズラリ

店のオリジナル商品である天然
韓国海苔W6000～や塩辛W1
万5000(220g)のほか、伝統
工芸品やコスメなど、日本人の
好みに合わせた多種多様なおみ
やげを扱う。
DATA ⓂM1号線チャガルチ駅か
ら徒歩7分 ⊕中区光復路35番キ
ル13 ☎(051) 245-4521 ⏰9時
30分～18時30分 ㊡なし ㊐

買う｜釜山大　MAP 付録P7-B1

バター
버터●BUTTER

学生御用達の激安雑貨店

雑貨や文房具、リビンググッズ
を低価格で販売する人気店。韓
国らしくユーモアたっぷりのアイ
テムも多数。
DATA ⓂM1号線釜山大学駅から
徒歩11分 ⊕金井区釜山大学路
63番キル2 NC百貨店1階
☎(051) 509-7210 ⏰10時30
分～21時(金～日曜は～22時) ㊡
なし

買う｜広安里　MAP 付録P8-A2

ラブイズギビング ハートベア
러브이즈기빙하트베어●Love is giving Heart Bear

クマだらけのかわいい世界観

雑貨店「ラブイズギビング」で人
気のハートベアをメインにした
ショップ。扱う雑貨はもちろん、
外観・内観もキュート！
DATA ⓂM2号線広安駅から徒歩
9分 ⊕水営区広安路51 ☎(010)
9723-1426 ⏰11時30分～20時
㊡なし

買う｜西面　MAP 付録P6-A1

西面モール地下商店街
서면몰 지하상가●ソミョンモル ジハサンガ

安カワアイテム多数

ファッションを中心に約350店
舗が集まる地下街のショッピン
グモール。かわいくてリーズナブ
ルなファッションアイテムが揃
う。帽子や靴、バッグなど、掘り
出し物もいっぱい。(→P57)
DATA ⓂM1、2号線西面駅直結
⊕釜山鎮区中央大路786 ☎店に
より異なる ⏰11～22時
※店により異なる ㊡第1火曜

買う｜西面　MAP 付録P6-A1

ロッテ地下商店街
롯데지하상가●ロッテチハサンガ

ロッテ百貨店直結の地下商店街

ロッテ百貨店からつながる広々
とした地下街。コスメショップの
アリタウムやエチュードハウスを
はじめ、ル・バニー・ブルーなど、
日本でも人気の店が軒を連ねる
ショッピングスポット。
DATA ⓂM1、2号線西面駅直結
⊕釜山鎮区釜田路95番キル35
☎店により異なる

上：流行のアイテムが充実
下：地元っ子にも人気のスポット

Eマート・トレーダーズ

買う ｜ 西面　　　　　　　MAP 付録P2-A3

イマト トレイダス●E MART TRADERS

低価格の大型卸売店

Eマートの倉庫型店舗。商品を大量仕入れ・販売することで通常よりも低価格に。箱売りのものを買ってシェアするとちょうどいい。 **DATA** ⊗ⓂM1、2号線西面駅から車で5分 ⊕釜山鎮区市民公園路31 ☎(051) 718-1234 ⏰10〜22時 ㉁第2・4日曜

ドレスカフェ

買う ｜ 釜山大　　　　　　MAP 付録P7-B1

ドゥレスカペ●Dress Cafe

学生に愛される人気ショップ

カジュアルなTシャツからキレイめコーデまで、多彩なアイテムが毎日のように入荷される。W1万以下で買えるものも多い。 **DATA** ⊗ⓂM1号線釜山大学駅から徒歩3分 ⊕金井区長箭路12番キル42 ☎(010) 3015-6632 ⏰10時30分〜22時30分 ㉁なし

メガマート東莱店

買う ｜ 東莱　　　　　　　MAP 付録P7-B4

メガマトゥ トンネジョム●メガマトゥ トンネジョム

品揃え豊富な大型スーパー

東莱エリアからのアクセスが抜群。食料品から生活用品まで品揃え豊富で、飲食できるスペースもある。深夜3時まで営業しているため、急な買い物にも便利。 **DATA** ⊗ⓂM1、4号線東莱駅から徒歩2分 ⊕東莱区忠烈大路197 ☎(051) 550-6000 ⏰8〜24時 ㉁第2・4日曜

ホームプラス センタムシティ店

買う ｜ センタムシティ　　MAP 付録P8-B1

ホムプルス●Home plus

お得に買い物ができる

便利な大型スーパー。1つ買うとおまけが付く1+1のお買い得品は要チェックだ。おみやげの買い忘れも解決できる、旅行者の強い味方。駅近なのもうれしい。 (→P35) **DATA** ⊗ⓂM2号線センタムシティ駅から徒歩2分 ⊕海雲台区センタム東路6 ☎(051) 709-8000 ⏰10〜24時 ㉁第2・4日曜

NC百貨店 釜山大店

買う ｜ 釜山大　　　　　　MAP 付録P7-B1

NCペッカジョム プサンデチョム●エンシペッカジョム プサンデチョム

大学内に位置する大型百貨店

伝統あるプサン大学校の敷地内に位置。人気のアパレルショップやコスメブランド、飲食店など、若者に人気の店が数多く入店している。学生たちでにぎわう活気ある雰囲気も楽しみたい。 **DATA** ⊗ⓂM1号線釜山大学駅から徒歩11分 ⊕金井区釜山大学路63番キル2 ☎(051) 509-7000 ⏰10時30分〜21時(金〜日曜は〜22時) ㉁なし

上：2026年に開校80周年を迎える国立大学
下：地下2階、地上6階の大型モール

Eマート海雲台店

買う ｜ 海雲台　　　　　　MAP 付録P9-D1

イミト ヘウンデジョム●E MART

韓国を代表する大型マート

地元の人から旅行客まで、多くの利用客が訪れる7階建ての大型マーケット。生活雑貨やファッション、食品など、何でも揃うので、おみやげ選びにもオススメ。 (→P35) **DATA** ⊗ⓂM2号線中洞駅から徒歩1分 ⊕海雲台区左洞循環路511 ☎(051) 608-1234 ⏰10〜22時 ㉁第2・4日曜

現代デパート

買う ｜ 凡一洞　　　　　　MAP 付録P3-B2

ヒョンデペッカジョム●ヒョンデベックァジョム

高級ブランドが勢揃い

全国各地に展開している高級デパート。生活用品から世界の一流ブランドアイテムまで、バラエティに富んだ品揃えを誇り、地元民からも人気が高い。 **DATA** ⊗ⓂM1号線凡一駅から徒歩1分 ⊕東区凡一路125 ☎(051) 667-2233 ⏰10時30分〜20時(金〜日曜は〜20時30分) ㉁月1回程度不定休

まだある！
ビューティー ＆ナイト

エステやネイルサロンで、
韓国美人を目指して自分磨き。
旅の疲れを癒やしたら、バーや屋台村など
ナイトスポットでプサンの夜を楽しもう。

🌿 癒やす ｜ 凡一洞 ｜ MAP 付録P3-B2

セラピースパ
세라피스파●CERAPY SPA

独創的な施術が評判

世界的に有名なスパのトレンドやテクニックからインスピレーションを受けた独自の手法で施術を提供。ゲストのニーズと体調に合わせて、1対1でセラピーを行う。
DATA ⊗Ⓜ1号線凡一駅直結 ㊀東区凡一1キル47 現代百貨店釜山店 フィットネスセンター4階 ☎ (051) 667-0800 ㉑10～20時 ㊡第2・4日曜 ㊟ボディ&フェイシャルセラピーW24万(120分)

🌿 癒やす ｜ 凡一洞 ｜ MAP 付録P3-B2

ジョバンヘスタン
조방해수탕●JB sea

プサンで評判の良質な水を使用

風呂の水にはマグネシウムを含む天然の海水を使用している。伝統汗蒸幕や温室ルーム、黄土ルームなど、施設も充実。
DATA ⊗Ⓜ1号線凡一駅から徒歩6分 ㊀釜山鎮区自由平和路37番キル15-19 ☎ (051) 645-0005 ㉑5～23時 ㊡なし ㊟入場料W9000

🌿 癒やす ｜ 南浦洞 ｜ MAP 付録P4-B3

ネイル&コー
네일앤코●ネイルエンコー

リーズナブルにネイル磨き

キュートな外観が目印。席は3～4席とこぢんまりしているが、丁寧な施術が日本人観光客にも評判。基本コース(ケア+カラー)W2万～。
DATA ⊗Ⓜ1号線南浦洞駅から徒歩7分 ㊀中区中区路24番キル24 ☎ (051) 244-6004 ㉑11～21時 ㊡日曜 📖📖📖

🌿 癒やす ｜ 西面 ｜ MAP 付録P6-B2

ヘルキナ
헤르키나●Hercyna

素肌美人御用達サロン

ボディ&フェイシャルケア中心のサロン。多彩なプログラムが揃い、一人ひとりに合わせた薬剤やプログラムで肌を管理。肌状態に合わせたピーリングが得意。
DATA ⊗Ⓜ1、2号線西面駅から徒歩5分 ㊀釜山鎮区中央大路680番カキル33-7 4階 ☎ (051) 808-1538 ㉑月・火・木・金曜は11時30分～21時30分、水・土曜10～19時 ㊡日曜 ㊟海藻ピールW25万(90分) ㈜

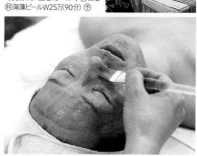

上：施術室は広め
下：海藻エキスで毛穴を埋めてからマスク

🌿 癒やす ｜ 西面 ｜ MAP 付録P6-A1

ミューズネイル
뮤즈네일●MUSE NAIL

ラブリーな雰囲気が人気

肌に負担のない天然素材を使用。ペディケアにはフットケアW4万5000などのメニューがあり、ダメージの少ない安心安全な施術を行う。
DATA ⊗Ⓜ1、2号線西面駅から徒歩2分 ㊀釜山鎮区伽倻大路784番キル3 ☎ (051) 819-4002 ㉑11～21時 ㊡日曜 ㊟ハンドケアW3万5000 📖📖📖

🌿 癒やす ｜ 影島 ｜ MAP 付録P2-B4

太宗台温泉
태종대온천●テジョンデオンチョン

体にいい食塩温泉

地元住民御用達の食塩温泉。ピラミッド風呂や露天風呂のほか、ゲルマニウム、炭、黄土などサウナも充実。
DATA ⊗Ⓜ1号線釜山駅から88A・101番のバスで30分、太宗台初等学校下車、徒歩3分 ㊀影島区太宗路808 ☎ (051) 404-9001 ~3 ㉑24時間(温泉は4～24時) ㊡なし ㊟温泉入浴とチムジルバンW1万1000(21時～翌6時、土・日曜、祝日はW1万2000) 📖📖

癒やす | 南浦洞 | MAP 付録P4-B2

ナチュラエステ
나투라에스테●natura esthe

いたれり尽くせりのエステ

最新の設備と熟練したエステティシャンによる施術が自慢。美顔＆全身アロママッサージW13万〜（90分）などが人気。腰などの部分メニューもある。
DATA ⊗M1号線南浦洞駅から徒歩8分 ⊕中区光復中央路12 3階 ☎(051) 257-8627 ⊕11〜21時 (土・日曜は〜15時) ⊕火曜 ⓐⓑ

ナイトスポット | 南浦洞 | MAP 付録P6-A4

トップネ
덕분에

マッコリを使ったカクテル

甘味料は使わず、酒精と水飴のみで自然な甘さを出したマッコリが特徴。キウイやラズベリーなど、フルーツと合わせたマッコリカクテルW1万2000は口当たりがよく女性からの評判が高い。
DATA ⊗M1号線チャガルチ駅から徒歩3分 ⊕中区光復中央路33番 キル13 ☎(051) 246-7022 ⊕17〜24時 ⊕なし ⓐ

癒やす | 海雲台 | MAP 付録P9-C4

HTヒーリングタッチケア
HT힐링터치케어●HT Healing touch care

ベテランスタッフによる本格マッサージ

在籍するスタッフは最低でも経歴10年以上のベテラン女性ばかり。それぞれの体型や症状にあわせて指圧を中心とした本格的な施術を受けられると老若男女から大人気。
DATA ⊗M2号線海雲台駅から徒歩4分 ⊕海雲台区亀南路29番キル35 5階 ☎(051) 744-4649 ⊕10時30分〜21時 ⊕なし ⓐ ⓑ ⓒ

ナイトスポット | 東萊 | MAP 付録P7-B2

虚心庁ブロイ
허심청브로이●ホシムチョンブロイ

自家製ビールで乾杯！

温泉施設・虚心庁(→P45)の1階にあるハウスビール専門店。ドイツ製の機械でピルスナーやヴァイツェンなどのビールを自家醸造する。
DATA ⊗M1号線温泉場駅から徒歩10分 ⊕東萊区金剛公園路20番キル23 ☎(051) 550-2345 ⊕17時〜24時 (日曜は〜24時) ⊕なし ⓑ

ナイトスポット | 西面 | MAP 付録P6-A1

セブンラックカジノ
세븐럭 카지노●Seven Luck Casino

初心者でも楽しめるカジノ

老若男女問わず遊べる、オープンな雰囲気のカジノ。初心者には日本語で説明をしてくれる。ロッテホテル内にあるのでアクセスも便利。(→P53)
DATA ⊗M1、2号線西面駅から徒歩2分 ⊕釜山鎮区伽倻大路772 ☎(051) 665-6000 ⊕24時間 ⊕なし ⊕最小賭金W3000〜※19歳未満入場不可

ナイトスポット | センタムシティ | MAP 付録P8-A1

映画の殿堂
영화의전당●ヨンファエジョンダン

釜山国際映画祭の専用劇場

釜山国際映画祭の劇場としてオープンした複合施設。館内には複数の劇場があり、映画上映のほか、展示やコンサートなどが行われている。
DATA ⊗M2号線センタムシティ駅から徒歩10分 ⊕海雲台区水営江辺大路120 ☎(051) 780-6000 ⊕施設ごとに異なる

ナイトスポット | 釜山駅 | MAP 付録P3-A3

シティバス夜景ツアー
시티버스투어●シティボストゥオ

バスでラクラク夜景クルーズ

プサンの夜景ルートをまわるバスツアー。絶景スポットではバスから降車して約10分間夜景を楽しむことができる。
DATA ⊗M1号線釜山駅前発着 ☎(051) 464-9898(釜山観光公社)、(051) 714-3799(外部委託業者) ⊕月曜、火曜 ⊕W2万 ⓐ ⓑ

ナイトスポット | 南浦洞 | MAP 付録P5-C3

キナムユンジュマッコリ
기남윤주 막걸리

女性に人気の進化系マッコリ

韓国らしい料理とマッコリが味わえる専門店。マッコリは定番で7種類あり、シーズンごとに4・5種類追加される。お酒が苦手な人にはイチゴマッコリなどの甘いマッコリがおすすめ。
DATA ⊗M1号線南浦駅から徒歩5分 ⊕中区光復路85番キル15 ☎(0507) 1432-0628 ⊕17時30分〜24時(金・土曜は17時〜翌2時) ⊕なし ⓐ ⓑ

まだある！

ホテル

ビーチ沿いに立つリゾートホテルから、
ビジネスマン御用達の手ごろなホテルまで
さまざまなタイプのホテルがある。
世界遺産の街のホテルも。

泊まる｜南浦洞　　MAP 付録P6-A4

ホテルアベンツリー釜山
호텔 아벤트리 부산●Hotel Aventree Busan

全室バスタブ付きでゆったり

手ごろな価格帯ながら全室にバ
スタブがあるため、ゆっくりとお
風呂に浸って旅の疲れも癒やせ
る。客室はシックで落ち着いた
雰囲気。

DATA ⊗M1号線チャガルチ駅か
ら徒歩5分 ⊕中区光復路39番キ
ル6 ☎(051) 260-5001
⑱⑪W10万～　81室 ⑪⑲

泊まる｜南浦洞　　MAP 付録P5-C2

釜山観光ホテル
부산관광호텔●Busan Tourist Hotel

釜山タワー近くの便利な立地

南浦駅からのアクセスのよさと
サービスの高さに定評があり、
日本人の利用が多い。全客室で
インターネットが無料で利用で
きる。

DATA ⊗M1号線中央駅から徒歩
5分 ⊕中区光復路97番キル23
☎(051) 241-4301 ⑤⑪W7
万～　275室 ⑪⑲

泊まる｜南浦洞　　MAP 付録P5-C2

タワーヒルホテル
타워 힐 호텔●Tower Hill Hotel

龍頭公園のたもとに位置

約40年の歴史ある老舗ホテル。
釜山タワーのある龍頭公園のす
ぐそばにあり、南浦洞観光に便利。
客室で無料Wi-Fiが利用可能。

DATA ⊗M1号線中央駅から徒歩
3分 ⊕中区白山キル20 ☎(051)
250-6100 ⑤W8万～　116室
⑪⑲

泊まる｜南浦洞　　MAP 付録P3-A4

東横INN 釜山中央駅
토요코인 부산중앙역●Toyoko inn Busan Jungang Station

グループ旅行におすすめ！

日本でもおなじみのビジネスホ
テル。ファミリーツインやデラッ
クスツインなど大人数で利用で
きるグループ旅行に適した客室
タイプもある。

DATA ⊗M1号線中央駅から徒歩
5分 ⊕中区中央大路125 ☎(051)
442-1045 ⑱⑤W6万2000～
⑪W8万4000～　442室 ⑪⑲

泊まる｜釜山駅　　MAP 付録P3-A4

コモドホテル釜山
코모도호텔부산●COMMODORE HOTEL BUSAN

韓国王宮の伝統建築美が彩る

観光に便利なロケーションにあ
り、朝鮮王朝の王宮を模した個
性的な外観のホテル。ロビーをは
じめ、館内には随所にエキゾチック
な装飾が施される。客室はスタン
ダードタイプのほか、オンドルが
あるスイートルームもある。

DATA ⊗M1号線釜山駅から徒歩
10分 ⊕中区中区路151 ☎(051)
466-9101 ⑤⑪W9万8000～
311室 ⑪⑲

泊まる｜機張郡　　MAP 付録P2-B2

ヴィラージュ ドゥ アナンティ
빌라쥬 드 아난티●Village de Ananti

メゾネットタイプの宿でくつろぐ

ヨットからインスピレーションを
受けて設計されたオーシャンビュ
ーのホテル。全客室はメゾネット
タイプで、のびのびとくつろげる。
館内には、10以上の飲食店、室内
外のプールがあり魅力たっぷり。

DATA ⊗東海線オシリア駅から車
で5分 ⊕機張郡機張邑機張海岸路
267-7 ☎(051) 662-7100 ⑤⑪
W29万8000～　114室 ⑲

上：寺院のような極彩色の意匠を凝らしたロビーもゴージャス
下：高台に立つホテルの外観は亀甲船がモチーフ

泊まる | 西面　　　　　MAP 付録P6-A1

ロッテホテル釜山
롯데호텔부산●Lotte Hotel Busan

ブサン随一の最高級ホテル

ショッピングセンター併設の大型ホテル。エグゼクティブルームW25万〜では、アメリカンスタイルの朝食のほかドリンクなど、さまざまなサービスが受けられるエグゼクティブラウンジの使用が可能になる。
DATA ⊗Ⓜ1、2号線西面駅直結 ⊕釜山鎮区伽耶大路772 ☎ (051)810-1000 ⊛ⓈⓉW20万〜　650室 Ⓔ Ⓐ

上：中国料理店「桃林」をはじめ、各国料理店も備えている
下：デラックスルーム。高層ビルとあって眺めも最高

泊まる | 西面　　　　　MAP 付録P6-B1

東横INN 釜山西面
토요코인 부산서면●Toyoko inn Busan Seomyeon

コンパクトにまとまった客室

西面で人気のカフェ通りにあり、ショッピングやグルメを楽しみたい人にぴったり。2つの客室をつなげて大人数で宿泊できる客室タイプもある。
DATA ⊗Ⓜ1、2号線西面駅から徒歩10分 ⊕釜山鎮区西田路39 ☎ (051) 638-1045 ⓈW6万2000〜ⓉW8万4000〜　301室 Ⓔ Ⓐ

泊まる | 西面　　　　　MAP 付録P6-B2

エンジェル
엔젤 호텔●Angel Hotel

ショッピング派にオススメ

リーズナブルなビジネスホテルで、ロッテ百貨店や西面市場からも近い。シンプルな客室は、すっきりとしていて過ごしやすい。
DATA ⊗Ⓜ1、2号線西面駅から徒歩10分 ⊕釜山鎮区中央大路692番キル46-7 ☎ (051) 802-8223 ⊛ⓈW6万3000〜ⓉW7万5000〜　57室 Ⓔ Ⓐ

泊まる | 海雲台　　　　　MAP 付録P8-B2

パーク ハイアット 釜山
마크 하얏트 부산●Park Hyatt Busan

有名建築家がデザイン

広安大橋からひときわ目を引く高層のリゾートホテル。客室はもちろん、サービスやレストランなど満足いく滞在が楽しめる。
DATA ⊗Ⓜ2号線冬柏駅から徒歩20分 ⊕海雲台区マリンシティ1路51 ☎ (051) 990-1234 ⊛ⓉW35万〜　269室 Ⓔ Ⓐ

泊まる | 海雲台　　　　　MAP 付録P9-D2

ホテルイルア
호텔 일루아●Hotel ILLUA

ライブ演奏も評判

海や五六島が見渡せるタルマジキル (月見の道) 沿いにあり、ヒルスパ (→P45) へも近い。ランドリーを備えているので長期滞在にも。
DATA ⊗Ⓜ2号線海雲台駅から車で5分 ⊕海雲台区タルマジキル97 ☎ (051) 744-1331 ⊛ⓈⓉW7万〜　61室 Ⓔ Ⓐ

泊まる | 海雲台　　　　　MAP 付録P9-C2

ウェスティン・チョースン釜山
웨스틴조선부산●The Westin Josun Busan

抜群の眺望を誇る高級リゾート

水営湾岸に位置し、ビーチ続きになっている高級ホテル。ウェスティンとシモンズが開発したヘブンリーベッドが極上の眠りを提供する。山海の幸が堪能できる韓国料理レストランを含む飲食店の評判もいい。
DATA ⊗Ⓜ2号線冬柏駅から徒歩15分 ⊕海雲台区冬柏路67 ☎ (051) 749-7000 ⊛ⓈⓉW29万〜　296室 Ⓔ Ⓐ

上：独立したシャワーブースを備えるエグゼクティブグランドルーム
下：目の前には白砂のビーチが広がる

泊まる ｜ 海雲台　　　　　　MAP 付録P9-C4

パラダイスホテル釜山
파라다이스 호텔 부산●Paradise Hotel Busan

プサンのリゾートを象徴するモダンな高級ホテル

海雲台ビーチに面した高級ホテル。ニューヨークのデザイン会社が手がけた客室はモダンな印象。ショッピングセンター、レストラン、天然温泉を利用したサウナ、スパなど施設も充実。水着で入れる露天風呂もある。

DATA ⊗Ⓜ2号線海雲台駅から徒歩12分 ⊕海雲台区海雲台海辺路296 ☎ (051) 742-2121 ⒽⓈⓉW23万〜　530室 Ⓙ⊛

上：リノベーションを行いモダンに生まれ変わった本館
下：本館のスタンダードツイン

泊まる ｜ 海雲台　　　　　　MAP 付録P9-D4

シグニエル釜山
시그니엘 부산●SIGNIEL BUSAN

ロッテホテルのラグジュアリーブランド

海雲台のランドマーク『LCT』内にあるホテル。絶景を望むインフィニティプールやサロンドシグニエルゲストラウンジといった設備を有する。

DATA ⊗Ⓜ2号線中洞駅から徒歩12分 ⊕海雲台区タルマジギル30 ☎ (051)922-1000 ⒽⓈⓉグランドデラックスW28万〜、デラックススイートW63万〜　260室 Ⓙ⊛

泊まる ｜ 海雲台　　　　　　MAP 付録P9-C4

コーロンシークラウドホテル
코오롱 씨클라우드 호텔●KOLON SEACLOUD HOTEL

長期滞在に最適

客室にはキッチンや洗濯機なども完備する、プサン初のレジデンスタイプの客室も用意している。インターネットは無料で利用できる。

DATA ⊗Ⓜ2号線海雲台駅から徒歩10分 ⊕海雲台区海雲台海辺路287 ☎ (051) 933-1000 ⒽⓈⓉW9万〜　177室 Ⓙ⊛

泊まる ｜ センタムシティ　　　MAP 付録P8-B1

海雲台センタムホテル
해운대센텀호텔●Haeundae Centum Hotel

ビジネス客利用が多い

駅近のため新世界センタムシティやホームプラスなどが徒歩圏内。コンベンションセンターへも近いのでビジネス利用にも使い勝手がいい。ビーチの夜景も楽しめる。

DATA ⊗Ⓜ2号線センタムシティ駅から徒歩5分 ⊕海雲台区センタム3路20 ☎ (051) 720-9000 Ⓗ ⓈⓉW8万3600〜　300室 Ⓙ⊛

泊まる ｜ 東莱　　　　　　　MAP 付録P7-B2

ホテル農心
호텔 농심●Hotel Nongshim

客室でも温泉が楽しめる

客室内のお風呂が温泉水なのは温泉エリアならでは。ナチュラルカラーでまとめられた部屋は、ゆったりとしていてくつろげる。

DATA ⊗Ⓜ1号線温泉場駅から徒歩10分 ⊕東莱区金剛公園路20番路キル23 ☎ (051) 550-2100 ⒽⓈⓉW15万5000〜　240室 Ⓙ⊛

泊まる ｜ 慶州　　　　　　　MAP P75-B1

ヒルトン慶州
힐튼경주●Hilton Gyengju

慶州観光にぴったりなホテル

高級ホテルが立ち並ぶリゾートエリアに位置し、数多くの海外セレブが宿泊したことでも有名。人気ドラマのロケ地としても知られる。Wi-Fiも完備。

DATA ⊗慶州駅から車で18分 ⊕慶州市普門路484-7 ☎ (054) 745-7788 ⓉW21万2960〜324室 Ⓙ⊛

泊まる ｜ 慶州　　　　　　　MAP P75-B1

ラハンセレクト慶州
라한셀렉트 경주●Lahan Select Gyengju

桜の季節は特にオススメ

桜の名所・普門湖の湖岸にそびえる大型ホテル。スタンダードタイプの客室でも30㎡以上と広々とした客室はファミリーにもぴったり。自然が多いのもうれしい。

DATA ⊗慶州駅から車で30分 ⊕慶州市普門路338 ☎ (054) 748-2233 ⓉW15万3000〜　430室 Ⓙ⊛

プサン市内の交通

どんな交通機関がある？料金は？どう乗ればいいの？といった疑問をまるごと解決！
交通事情や移動のポイントをおさえて効率よく回ろう。

［ 街のまわり方 ］

◯ まわり方ポイント

地下鉄は観光客でも利用しやすい

交通ルールが逆！？

日本と韓国は同じアジアにあり、しかもお隣の国同士。地下鉄や市内バス、タクシーなど公共交通機関のシステムもよく似ているため、初めて韓国を訪れる旅行者でもすぐに慣れるが、交通に関して大きな違いがある。それは、道路は車が右側通行、人が左側通行と日本と逆なこと。日本での習慣から、道路を横断する際についつい右側を見てしまうが、車は左側から来るので注意しよう。

地下道の周辺図をチェック！

周辺図はハングル文字とアルファベットが併記。漢字がある場合もある

大都市では地下道が発達している韓国。プサンも例外ではなく、特に中央路や九徳路などは車道幅が広く、地下道を利用しなければ道路を横断できないところが多い。しかし、うっかり出口を間違えると、とんでもないところに出てしまうこともある。地下道や地下鉄駅のほとんどの出口には周辺図が表示されているので、地上に出る前に必ずチェックしよう。

道路表示も多く、ハングル文字以外でも表示

地下鉄とタクシーを使い分ける

プサン中心部を縦横無尽に走る地下鉄。システムもわかりやすいため、旅行者でもすぐに使いこなすことができる。一方、日本に比べて料金が比較的安く、目的地まで直行できるタクシーの便利さはいうまでもない。この2つの交通手段を上手に使い分け、あるいは組み合わせて利用するのが、プサンで効率よく移動するコツ。ただし、平日17～19時ごろのラッシュアワーでは、中心部は交通渋滞となるのでタクシーの利用に注意が必要だ。

タクシー料金の安さは旅行者にとってありがたい

地下鉄駅構内のトイレは一般的に清潔

主な交通機関

交通機関	料金	運行時間	避けたい時間帯	T-MONEY カード (→ P92)
地下鉄	1区間10kmまで（10駅前後）W 1700。2区間10km以上W1900。1日券W6000。	朝5時30分ごろ〜深夜24時ごろ。時間帯や路線にもよるが、5〜10分間隔で運行。	平日の朝7時30分ごろ〜9時ごろの通勤時間帯は猛ラッシュ。早朝、深夜の女性ひとりの利用は避けたい。	○利用可
タクシー	模範タクシーは初乗り3kmまでW7500。一般タクシーは初乗り2kmまでW4800。	24時間。中心部では流しのタクシーも多い。タクシー配車アプリ（→P96）を使うのが効率的。	中心部では道路が渋滞する平日17〜19時ごろは、時間に余裕をもって利用しよう。	○ほとんど利用可
市内バス	運賃は一律。一般バスは現金W1700、T-MONEYカードならW1550。座席が多く早いのが特徴の座席バスはW2200。	5時ごろ〜23時30分ごろ。	地下鉄と同じく、平日の朝7時30分ごろ〜9時ごろの通勤時間帯は大変混雑している。	○利用可

アクセス早見表

アクセス早見表は、地下鉄利用を基本にしている。目的地が最寄り駅から離れている場合など、地下鉄が利用しにくいときはタクシーが便利。

まで／から	南浦洞	西面	海雲台	釜山駅	東萊	老圃洞 (釜山総合バスターミナルに直結)
南浦洞	南浦洞の最寄り駅 1号線南浦駅	1号線で西面駅まで14分	1号線で西面駅まで14分、2号線に乗り換えて海雲台駅まで31分	1号線で釜山駅まで4分	1号線で東萊駅まで25分	1号線で老圃駅まで43分
西面	1号線で南浦駅まで14分	西面の最寄り駅 1、2号線西面駅	2号線で海雲台駅まで30分	1号線で釜山駅まで10分	1号線で東萊駅まで11分	1号線で老圃駅まで30分
海雲台	2号線で西面駅まで31分、1号線に乗り換えて南浦駅まで14分	2号線で西面駅まで30分	海雲台の最寄り駅 2号線海雲台駅	2号線で西面駅まで30分、1号線に乗り換えて釜山駅まで10分	2号線で西面駅まで30分、1号線に乗り換えて東萊駅まで12分	2号線で西面駅まで30分、1号線に乗り換えて老圃駅まで30分
釜山駅	1号線で南浦駅まで4分	1号線で西面駅まで10分	1号線で西面駅まで10分、2号線に乗り換えて海雲台駅まで30分	釜山駅の最寄り駅 1号線釜山駅	1号線で東萊駅まで21分	1号線で老圃駅まで39分
東萊	1号線で南浦駅まで27分	1号線で西面駅まで11分	1号線で西面駅まで12分、2号線に乗り換えて海雲台駅まで30分	1号線で釜山駅まで21分	東萊の最寄り駅 1、4号線東萊駅	1号線で老圃駅まで18分
老圃洞 (釜山総合バスターミナルに直結)	1号線で南浦駅まで43分	1号線で西面駅まで30分	1号線で西面駅まで30分、2号線に乗り換えて海雲台駅まで30分	1号線で釜山駅まで39分	1号線で東萊駅まで18分	老圃洞の最寄り駅 1号線老圃駅

地下鉄 チハチョル 지하철

市内全域をほぼカバーしている地下鉄。料金は区間制で、旅行者にとって最も便利な移動手段。各駅に番号がついているほか、路線別に色分けされているのでわかりやすい。システムもほとんど日本と変わらず、構内や車内でのアナウンスは韓国語、英語が基本だが、主要駅では日本語でも行われている。

地下鉄は外国人旅行者への配慮も十分

● 主な路線の種類

1 号線		プサン市南部の多大浦海水浴場 095 からチャガルチ、釜山、西面などを通り、北部にある釜山総合バスターミナルに直結した老圃 134 まで南北に延びる。
2 号線		東部の萇山 201 から海雲台を通り、水営で 3 号線と、西面で 1 号線と交差。西部市外バスターミナルに直結する沙上駅で、金海軽電鉄と交わる。
3 号線		2 号線との乗り換え駅である水営 301 からほぼ東西に走り、蓮山で 1 号線、美南で 4 号線、徳川で 2 号線に乗り換えることができる。
4 号線		3 号線との乗り換え駅である美南 309 から、1 号線の乗り換え駅の東萊を通り、安平 414 まで延びる。

● 自動券売機での切符の買い方

コードが記載された切符

 ❶

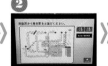 ❷

 ❸

 ❹

❶ タッチパネル式で、乗車券の他、交通カードのチャージもできる。片道切符以外に、1日乗車券や3日乗車券もある。画面左下で使用言語を切り替え可能。

❷ 利用する駅を選択すると周辺駅が拡大表示されるので、目的駅にタッチ。拡大表示では駅名が大きく表示され、乗り換え駅も探しやすい。

❸ 料金が表示される。券売機はほとんどの紙幣とコインが使える。

❹ 券売機の下から切符を取る。おつりを忘れずに。切符は目的地の駅の改札を出るまで失くさないように気をつけよう。

● T-moneyやWOWPASSを活用

地下鉄を頻繁に利用するならT-moneyやWOWPASSなどの交通カードを活用しよう。チャージ式で地下鉄のほかバスやタクシーなどでも利用できる。

● T-money
バスやタクシーでも利用できる、プリペイド式の交通カード。駅の自動販売機や「Tマネー」加盟コンビニのほか、街頭でも販売しており、各所でチャージして使うことができる。特に交通機関では割引制度もあるので、韓国を訪れた際は1枚所持しておくとスムーズかつお得に観光を楽しむことができる。

● WOWPASS
外国人観光客専用のカードで、プリペイドカード、両替、T-moneyの機能を備える。これ1枚で地下鉄やバス、タクシーの支払いや移動がキャッシュレスに。主要なホテルや駅にある両替機で購入すれば、日本円をウォンに両替したり、チャージしたりできる。

地下鉄に乗ってみよう

❶ 駅を探す

SUBWAYと書かれた青い看板や車体にMのマークが書かれた黄色い看板が目印。駅に入ったら案内に従って改札へ向かう。改札は上下線で分かれていることもあるので注意しよう。

地下鉄マーク
駅番号
駅名
出口番号

❷ 切符を買う

改札口近くの自動券売機で切符を購入するか、交通カードをチャージ。券売機の付近には料金表が掲示されているので料金を確認しよう。

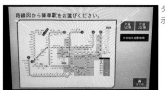

タッチパネルは日本語表示に切り替えできて安心

切符に記載されたコードを改札機に読み取らせる。交通カードはタッチする。ゲートのほとんどは手動で開閉するシステムなので注意。

❸ 改札を通りホームへ

自動改札機に緑色の矢印が出ていれば入場可能。改札機に切符をかざす。交通カードの場合はカードのイラストが描かれている部分にタッチ。改札を抜けたら案内板でホームを確認。路線ごとに色分けされているのでわかりやすい。

案内は韓国語以外に英語もある

❹ 乗車する・下車する

乗車前にもう一度、路線と方向を確認！韓国語に続いて英語のアナウンスもある（主要駅は日本語もあり）。乗り換え駅は1号線と2号線が西面駅、1号線と3号線が蓮山駅、1号線と4号線が東莱駅、2号線と3号線が水営駅と徳川駅、3号線と4号線が美南駅。停車したら、目的駅かどうか駅名と駅番号を確かめて下車しよう。

乗り場に次の駅が書いてある。行き先が合っているか乗る前にチェック

車内の路線図で、降りる駅がいくつ目か確認を

❺ 改札を出る

電車を降りたらホームにある出口案内に従って改札口へ。改札手前でTマネーの精算やチャージもできる。残高不足の時に利用しよう。

「出口」と書かれている方向へ進もう

路線別に色分けされた案内板に従えば、迷うことなく乗り換えることができる

［ タクシー テクシ 택시 ］

プサン中心部では主な場所にタクシー乗り場が
設置されているほか、流しのタクシーもある。ホ
テルやデパート、免税店などの前では客待ちして
いるタクシーも多い。運賃は日本と比べて安いた
め利用しやすい。模範タクシーと一般タクシーの
2種類あることを覚えておこう。

料金の安い一般タクシー

英語や日本語が通じる模範タクシー

⭕ タクシーに乗ってみよう

タクシー乗り場のスタンド。目
立たないので注意して探さな
いと見つからない

❶ タクシーを拾う

日本の主な都市と同じく流しのタクシーを拾うほか、ホテルで呼んでもらってもいい。カカ
オタクシーやウーバータクシーなどの配車アプリも一般的。空車はフロントガラスに「빈차」
(ビンチャ)と赤ランプが点灯している。ドアは手動式なので、自分で開ける。グループで移
動するときや荷物が多いときなどは、最大8名まで乗車できる大型タクシーが便利。

❷ 乗車し、行き先を伝える

自動ドアではないので、自分で開けて乗車しよう。漢字がほ
とんど通じないのでハングルで住所を書いたメモを渡すか、
ガイドブックのハングル表記を指すのが確実。ホテルから
乗車する際は、スタッフに行き先を伝えてもらおう。「〜カジ・
カ・ジュセヨ(〜まで行ってください)」、「ヨンスジュン・ジュセ
ヨ(領収書をお願いします)」などの簡単な韓国語を覚えてお
くといい。

乗車したらメーターが作動したか
どうか確認しよう

❸ 支払う・下車する

料金は一般タクシーも模範タクシーもメーター制。現金やクレジットカー
ドなどで支払う。現金の場合、W5万札はドライバーがおつりを用意で
きないことも。あらかじめW1万札などの細かいお金を用意しておこう。
ホテルで呼んでもらった場合は、迎車料金が加算される場合もある。

領収書をもらっておく
と、忘れ物をした場合な
どに問い合わせること
ができる

⭕ タクシーの種類

主に模範タクシーと一般タクシーの2種類ある。配車アプリを使
えば、タクシーの詳細情報が見られて安心。

● 模範タクシー

ベテランドライバーが運転する
タクシー。黒い車体にDeluxe
Taxiと書かれたラインが特徴。
サービスがよく、英語や日本語
が通じるドライバーも多い。高
級ホテルなどで待機しているこ
ともある。

● 一般タクシー

模範タクシーよりも台数が多く、運
賃も安い。車体は白やグレー、シル
バーなどが主流で、日本語や英語
が通じるドライバーは少ない。車体
にオレンジ色のラインと灯台のマ
ークがあるタクシーは、一般タクシー
のなかでも評判がよい。

⭕ 料金システム

走行距離と時間によって加算されるメ
ーター制。模範タクシーは初乗り3kmま
でW7500。以後140mまたは33秒ごとに
W200加算。一般タクシーは初乗り2km
までW4800。以後132mまたは33秒ごと
にW100加算。一般タクシーは深夜23時
〜翌4時は深夜割増料金となり、特に深
夜24時〜翌2時は30%増し(その他の時
間は20%増し)。

市内バス シネボス 시내버스

地元の人々にとって欠かすことのできない生活の足となっている市内バス。ほとんどハングル表示しかなく、車内アナウンスがあっても韓国語のみなので、旅行者が乗りこなすのは難しい。それでも市内をくまなく網羅しており、運賃も安い。車窓からの風景も楽しめるので、車内から場所がわかる人にはオススメ。

写真の車両か緑とベージュの車体が一般バス

市内バスの種類と料金

●一般バス
白地に青、あるいは緑とベージュ色のバス。座席が1列に並び、満席の場合は立っても乗車できる。料金は市内均一で現金ならW1700、交通カードならW1550。

●座席バス(急行バス)
白とオレンジ色のバス。座席が2列に並び、満席の場合は立って乗車できる。止まる停留所が限られているので、同じ路線なら一般バスより早く目的地に到着する。料金は市内均一でW2100。

観光に便利なバス路線

主なみどころを巡る観光に便利な路線をピックアップ。

41	一般バス	民楽洞広安里～釜山駅～中央洞～南浦洞
88	一般バス	西面～釜山駅～中央洞～太宗台
307	一般バス	金海空港～東萊～海雲台～松亭
134	一般バス	チャガルチ～釜山駅～市立博物館～UN公園～龍塘洞
1003	座席バス	機張～松亭～海雲台海水浴場～釜山駅～南浦洞
1004	座席バス	釜山港国際旅客ターミナル～釜山駅～西面～金海市

路線バスに乗ってみよう

❶ バス停を探す
バス停は屋根やベンチがあるところが多いので比較的見つけやすい。朝夕は混雑するのでなるべく利用は避けよう。

電光掲示板が付いているバス停もある

座席バスは1000番台で赤またはオレンジの車体

❷ 路線を確認する
バス停には、停車するバスの路線番号、バスの種類、運行経路などが表示されているが、ほとんどが韓国語のみ。

車体には路線番号や運行経路が書かれている

❸ 乗車する・支払う
バスが来たら、フロントガラスの上部や側部の番号で路線を確認する。乗車は前のドアから。料金は前払いで、運賃箱に現金を入れる。T-moneyカード(→P92)などの交通カードも利用でき、パネルにタッチする。プサンのバスはスピードを出すので、走行中はなるべく動かないようにしよう。

運賃箱やタッチパネルは運転席の横にある

車窓から景色を眺めるのも楽しい

❹ 下車する
降車するバス停がわからない場合は、目的地をハングルで書いたメモをドライバーやほかの乗客に見せて、教えてもらうといい。

ブザーを押して降車を知らせよう

フェリーでプサンに着いたら

釜山国際旅客ターミナルの2階から釜山駅まで歩行エスカレーター付きの空中回廊がある。釜山駅まで約徒歩10分。
空中回廊はターミナル2階の正面玄関を出て左側にあり、2階から段差なしでそのまま釜山駅に向かえるため、キャスター付きの荷物の持ち運び時にも便利。

知っておきたい便利情報

プサン旅行をもっと楽しむために、知っていると役立つ情報をチェック！時間とお金を賢く使ってプサンを攻略しよう。

韓国旅行上級者にはこんなアプリも

ペダルヨギョ

出前アプリ。韓国語対応のみだが、写真やイラストを見ながら直感的に操作できる。ただし韓国で使える電話番号が必要。

韓国旅行必須アプリ

NAVER MAP

交通やお店情報ならお任せ。徒歩や車、バスや電車のルート案内のほか、お店のクチコミやメニューも見られる。行きたい場所をリスト保存できる機能もあり、旅の計画づくりにも役立つ。

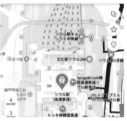

SUBWAY KOREA

韓国の地下鉄乗換案内アプリ。乗り換えしやすい乗車位置や目的地に近い出口、目的地までの最短ルートを教えてくれるほか、乗り換えや運賃、始発・終電も調べられる。日本語対応なのもうれしい。

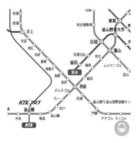

KAKAO TAXI

韓国旅行で欠かせないタクシー配車アプリ。言語設定で日本語を選択でき、乗車場所と目的地を入力するだけでルートや価格も表示される。クレジットカードを登録すればスムーズに支払いも可能。カカオトークのアカウント登録が必要なので、日本国内で電話番号認証しておこう。

コスパ＆タイパ技を伝授！

お得な観光チケット Visit Busan Pass が登場

30カ所以上の有料観光施設を自由に利用できる観光客向けチケット。さらに、100カ所以上のレストランやホテルなど、多彩な観光施設で割引特典が受けられる。24時間券はW5万5000、48時間券はW8万5000で、バスの利用開始時刻からそれぞれの時間内で使用可能。また、さまざまな観光名所の中から3つから選んで無料で使用できるBIG3 W4万5000、5つから選べるBIG5 W6万5000がある。選べる施設については公式HPを参照。事前にウェブで予約し、釜山空港や釜山駅、あるいはホテルで受け取れる。 URL www.visitbusanpass.com

「1+1」に注目！

スーパーやコスメショップで見かける「1+1」の表示は、ひとつ買ったらもうひとつもらえるという意味。レジにもうひとつ商品を持っていこう。

エコバッグはマスト

日本と同じく、韓国でもスーパーやコンビニではレジ袋が有料。大きめのエコバッグがあると重宝する。レジ袋が欲しい時は「ポントゥ（袋）チュセヨ」と伝えて。

アメニティは自分で用意

2024年3月から、韓国で客室50室以上の宿泊施設の使い捨てアメニティ用品の無償提供が禁止に。歯ブラシ、歯磨き粉、シャンプー、リンス、かみそりが有料となるので、必要なものは自分で用意しよう。

荷物が増えたらEMSが便利！

ついついおみやげやコスメを買いすぎてしまったときは、EMS（国際スピード郵便）を活用しよう。日本から送るよりも安く、2〜3日で到着する。郵便局はもちろん、大きなスーパーにはEMS用のカウンターがある場合も。送料は1kg2万5500Wほど。

Topic6

トラベルインフォメーション

Travel Information

出発前の注意点から現地で使える知識まで、

基本情報を事前にチェックしておいて

旅を思い切り満喫しよう!

韓国出入国

プサンの空の玄関口は、金海(キメ)国際空港。表示に従って、入国審査エリアまで移動する。
海路で入国した場合、入国審査は釜山国際旅客ターミナルで行われる。

韓国入国の流れ

❶ 到着

到着ゲートから案内板に従って入国審査へ進む。

❷ 入国審査

外国人(Foreigner)カウンターに並び、順番がきたら記入済みの入国カードとパスポートを審査官に提示。17歳以上の外国人は指紋登録と顔写真の撮影が義務付けられている。

❸ 荷物受取所

飛行機の場合、電光掲示板で自分の乗ってきた便名が何番のターンテーブルかをチェックし、荷物受取所へ。荷物がない場合や破損していた場合は、荷物紛失窓口(Baggage Lost&Found)で、荷物引換証(Claim Tag)を見せて、その旨を伝える。船の場合は、すべての手荷物を自分で運び、ベルトコンベアに乗せて検査を受ける。

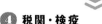

❹ 税関・検疫

申告する物品があれば「旅行者携帯品申告書」を作成し、税関検査場で「税関申告あり(Goods to Declare)」のカウンターへ。植物と植物製品、動物とその動物製品を所持している場合は入国時に検疫を受ける。

❺ 到着ロビー

案内所、両替所などがある。

⬤ 韓国入国時の主な制限

- **たばこ**…紙巻たばこ200本、葉巻たばこ50本、電子たばこリキッド20ml(19歳以上)
- **アルコール類**…2ℓ以下US$400以下2本(19歳以上)
- **香水**…100ml以下
- **そのほか**…みやげ品US$800相当
- **申告対象品目**…US$1万を超過する外貨または現地通貨は要申告 ※出国時の通貨の持ち出しは、入国時の申告額まで。違反すると懲役や高額な罰金刑に処せられることも
- **持ち込めないもの**…公安または公序良俗を害する物品。貨幣、有価証券の模造・変造・偽造品、銃器、麻薬、ワシントン条約保護対象の動植物およびこれらの製品

⬤ 入国カード

韓国は入国カードのみで出国カードはない。機内で配られるのであらかじめ書いておくこと。

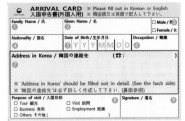

❶氏 ❷名 ❸性別(男性はMale、女性はFemale) ❹国名(JAPANなど) ❺生年月日 ❻職業(会社員office worker、学生student、主婦housewifeなど) ❼韓国へ滞在する予定の住所、または宿所 ❽入国目的(観光の場合はTourをチェック) ❾署名

⬤ 旅行者携帯品申告書

免税範囲内で申告する物品が無ければ、旅行者携帯品申告書は作成不要。申告書は日本語で記入でき、課税品を所持している場合は課税カウンターへ行く。家族同伴の場合、代表者1名が記入して申告する。

⬤ 韓国の入国条件

- **パスポートの残存有効期間**…滞在日数分あれば問題ないが、入国時3カ月以上あるのが望ましい
- **ビザ**…90日以内の観光目的の滞在は不要。(出国用航空券の所持が望ましい)

［韓国出国の流れ］

❶ チェックイン

飛行機の場合、利用航空会社の搭乗手続きカウンターで航空券(eチケット控え)とパスポートを提示。荷物を預ける場合は、ここで預け、荷物引換証(Claim Tag)と搭乗券を受け取る。船の場合は、各船会社のカウンターで手続きし、港湾施設使用料を払う。

❷ 税関

付加価値税の払い戻しを申請する場合は、未開封の購入品を提示して免税書類に確認印を押してもらい、払い戻しカウンターで還付金を受け取る。そのほか税関で申告するものがあれば、税関申告書、申告する該当品、パスポートと搭乗券を提示。古美術品の持ち出しには文化財管理局の許可が必要なので注意。

❸ 手荷物検査

機内に持ち込むすべての手荷物をX線に通す。飛行機の場合、飛行機同様、液体・ジェル類の機内持ち込み制限がある。キムチやコチュジャンなど液状の食品も制限されているので注意。

❹ 出国審査

パスポート、搭乗券(乗船券)を提示。

❺ 出発フロア

市内の免税店で買い物した場合は、受け取りカウンターで品物をピックアップ。飛行機の場合は搭乗ゲートを確認。出発の30分前には搭乗ゲートへ。

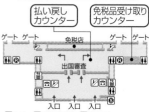

金海国際空港2階出発フロア

払い戻しカウンター　免税品受け取りカウンター

ゲート　ゲート　　免税店　　ゲート　ゲート

出国審査

入口　入口　入口

🚻トイレ　🏧銀行・両替所　🛍ショップ
🛗エレベーター　🔼エスカレーター　🍴レストラン

近代的な金海国際空港

◯ 付加価値税の払い戻し

韓国では商品の価格に10%の付加価値税が含まれている。外国人旅行客は、TAX FREE SHOPPING加盟店で1店舗あたりW1万5000以上の買い物をし、購入日から3カ月以内に韓国外へ持ち出す場合、手数料を引いた付加価値税を払い戻せる。グローバルブルー加盟店の手続き手順は以下。

❶商品購入時にパスポートを提示し、免税書類を作成してもらう。書類はすべてアルファベットで記入。
❷韓国出国時に税関で、免税書類、パスポート、レシート、購入品(未使用の状態)、航空券または搭乗券を提示し、書類に確認スタンプをもらう。金海国際空港で預け入れ荷物にする場合は、チェックイン前に手続きをする。
❸空港内の払い戻しカウンターで還付金を受け取る。もしくは成田・羽田・中部、関西の日本の空港にある専用ボックスに書類を投函。★対象店でなら一度にW1万5000〜100万未満の買い物であれば、その場で税引き価格で購入することができる(総額W500万まで)。買い物の際はパスポートを忘れずに。詳細は韓国観光公社Webサイト(URL japanese.visitkorea.or.kr)へ。

◯ 日本帰国時の主な免税範囲と制限

主な免税範囲
● たばこ…紙巻は200本、葉巻は50本、その他は250gまで。
● 酒類…3本(1本760mℓのもの)
● 香水…2オンス(約56mℓ、オードトワレ・コロンは除外)
● その他…1品目ごとの海外市価合計額が1万円以下のもの全量。その他は海外市価合計額20万円まで
※酒類・たばこは未成年者への免税はない
輸入が禁止されているもの
● 麻薬、大麻、覚せい剤、鉄砲類、わいせつ物、偽ブランド品など
輸入が規制されているもの
● ワシントン条約に該当するもの(ワニ、ヘビ、トカゲ、象牙などの加工品など)、土付きの植物、果実、切り花、野菜、ハムやソーセージなどの肉類。医薬品や化粧品にも数量制限あり(化粧品は1品目24個以内)

※「携帯品・別送品申告書」の記入例や免税範囲を超えた場合の税率など、詳しくは税関 URL www.customs.go.jp/を参照

金海国際空港＆釜山港から市内へ

◯ 金海国際空港　**MAP** 付録P2-A2

プサンの金海国際空港と東京の成田国際空港間は所要約2時間30分。大韓航空(KE)、日本航空(JL)、エアプサン(BX)などが運航。ほかに愛知、大阪、福岡、北海道からの便もある。空港から市内へはバスやタクシー、ライトレールを利用する。

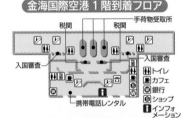
金海国際空港1階到着フロア

● 国際線ターミナル

地下1階、地上3階からなる国際線ターミナル。1階の到着フロアには両替所やカフェなどがある。2階の出発フロア(→P99)には両替所をはじめコンビニ、レストラン・カフェも完備。出国後の免税店も充実している。

● 国内線ターミナル

国内線ターミナルは隣接する別の建物。国際線ターミナルを出て右手にあり、徒歩で行くことができる。

金海国際空港までは釜山金海軽電鉄を利用するのも便利

◯ 金海国際空港〜市内中心部　交通早見表

交通機関	特徴	運行時間	料金	所要時間
釜山金海軽電鉄	沙上〜金海国際空港〜加耶大学を結ぶ自動運転の電車。市内中心部の西面エリアに行く場合は、地下鉄2号線沙上駅で乗り換える。西面までは25分程度。空港駅は空港建物を出て、2〜3分ほど歩いたところにある。	5時30分〜24時ごろ。4〜10分間隔で運行。	初乗りW1700〜。金海国際空港から、沙上まではW1700。	沙上駅まで7分
リムジンバス	空港と海雲台を結ぶ。日本語のアナウンスがあるので安心。西面／釜山駅方面もあるが、2024年5月現在運休中。	海雲台方面7〜22時。約40〜60分間隔で運行。	海雲台方面W1万	海雲台方面約30分
市内バス	空港から東莱を通り海雲台方面へ行く307番の市内バスがあるが、日本語アナウンスがなく利用するのには少しハードルが高い。	5時〜21時45分ごろ。約15〜25分間隔で運行。	W1700	約90分
タクシー	主に模範と一般の2タイプある。時間を問わずに利用でき、直接ホテルの前まで到着できるので便利。乗り場は空港建物を出て横断歩道を渡ったところにある。	24時間	模範タクシーで西面まで約W3万3000〜、海雲台まで約W4万5000〜	45〜70分

◯ 金海国際空港〜市内　主要バス路線

	路線名	主な停留所	空港での乗り場
リムジンバス	南川洞／海雲台方面	広安駅、海雲台海水浴場、パラダイスホテル釜山	3番乗り場
市内バス	307番(海雲台駅方面)	徳川駅、東莱市場、BEXCO、海雲台区庁	2番乗り場

釜山港国際旅客ターミナル MAP 付録P3-B3

日本とプサンを結ぶ国際航路が、博多、下関、大阪などから運航。博多〜プサン間は、高速船なら約3時間。入国手続きは2階で行う。入国ホールには両替所と観光案内所などがある。出国ホールは3階。市内中心部にある釜山港は、繁華街の南浦洞にも近く交通も便利。

釜山タワーから釜山港を望む

主な航路と船会社

航路	概要	運行時間	料金	所要時間
博多〜プサン	●ニューかめりあ（1日1便） 博多港から運航しているフェリー。 ☎カメリアライン旅客営業部 (092) 262-2323 URL www.camellia-line.co.jp/	●博多発12時30分→プサン着18時30分 ●プサン発20時→博多着翌7時30分	大人片道9000円〜	約6時間〜
	●クイーンビートル（1日1便） 博多港から運航している高速船。 ☎JR九州高速船 (092) 281-2315 URL www.jrbeetle.com	○博多発9時/15時→プサン着12時40分/18時40分 ○プサン発9時/15時→博多着12時40分/18時40分（便数や運航時間は日によって変動あり）	大人片道1万6000円	約3時間30分
下関〜プサン	●はまゆう／星希（1日1便） 下関港から運航しているフェリー。日本船籍のははまゆうと韓国船籍の星希が共同運航している。 ☎関釜フェリー (083) 224-3000 URL www.kampuferry.co.jp/	●下関発19時45分→プサン着翌8時 ●プサン発21時→下関着翌7時45分	大人片道9000円〜	約11時間
大阪〜プサン	●パンスタードリーム（週3便） 大阪南港から運航しているフェリー。大阪からは、月・水・金曜、プサンからは火・木・日曜に運航。 ☎サンスターライン (06) 6614-2516 URL www.panstar.jp/	●大阪南港発15時30分→プサン着翌10時（金曜のみ17時発→翌12時着）●プサン発15時→大阪南港着翌10時	大人片道1万2000円〜	約19時間

3階出国ホール
乗船口　クルーズチェックインカウンター　チェックインカウンター
免税店
手荷物　出国審査　税関審査
チェックインカウンター

2階入国ホール
下船口
入国審査　税関審査

🚻トイレ　🏦銀行・両替所　ℹ観光案内　⑤ショップ
🛗エレベーター　⤴エスカレーター　☕カフェ　🍴レストラン

乗船する際の注意

●出発の際には、運賃以外に燃油チャージ料(燃油特別付加運賃)、港湾施設使用料および出国納付金などが別途必要になるので注意。
●子供・幼児運賃、学割、往復割引などの設定は、運航会社によって異なるので、各運航会社に確認しよう。
●乗船手続きは、出航のおよそ2時間〜1時間前までに必要。運航会社によって異なるため、事前に確認しよう。
●気象状況などにより運航スケジュールの変更や欠航になる場合があるので、利用の際には確認を忘れずに。

ターミナルから市内への交通

地下鉄	最寄り駅は、ターミナルから徒歩10〜15分の1号線釜山駅または草梁駅。草梁駅から西面駅には、所要約10分。海雲台駅へは、西面駅で2号線に乗り換えて約45分。
タクシー	一般タクシーで西面駅へは所要約15〜20分で、約W8500。海雲台駅へは所要約30分で約W1万7000。
空中回路	釜山国際旅客ターミナルの2階から釜山駅まで歩行エスカレーター付きの空中回廊で徒歩約10分。

旅のキホン

通貨や物価のこと、電話や通信事情、シーズンチェックなども事前に確認しておこう。
トラブル対策もしっかりとインプットして、スムーズな旅行を楽しもう!

［ お金のこと ］

韓国の通貨単位はウォン(W)。レートは変動相場制で、W100は約11円(2024年5月現在)。
W1万札が約1100円にあたる。主に流通しているのは紙幣と硬貨ともに4種類。

W100＝約11円
(2024年5月現在)

⭕ 紙幣・硬貨の種類

硬貨はW10、50、100、500の4種類が流通(W1、5はほとんど使われていない)。裏のレリーフは、W1は国花のムクゲ、
W5は亀甲船、W10は仏国寺の多宝塔、W50は稲穂、W100は李舜臣、W500は鶴が描かれている。日本円と大きさ、色
がよく似ているので、間違えないように。

W5万

W1万

W500

W100

W5000

W1000

W50

W10

⭕ お金の持っていき方

クレジットカードを持っていく場合はプサンでも多く使われているVISAカードやMasterカードがおすすめ。
屋台や市場などではカードが使えないこともあるので、小額の現金も用意しよう。

方法	こんなとき便利	ココは注意	ポイント
現金	クレジットカードが使えない屋台や市場での支払いに最適。	多額の現金を持ち歩くのはトラブルのもと。	紙幣の最高単価が5000円程度のため、3万円分で6枚程度と枚数が必要になる。
クレジットカード	現金を持ち歩かなくてよく、身分証明にもなる。ATMからキャッシングも可能。	伝票の金額を確認してからサインすること。	街なかのショップ、飲食店で広く使える。VISA、Masterの通用度が高い。屋台は不可の場合も。
プリペイドカード（WOWPASS、NAMANEカードなど）	チャージ式なので使った金額がわかりやすい。クレジットカードを持ち歩くのが心配なときにも。	チャージ金額には上限がある。残高は専用キオスクで引き出しが必要なため、帰国時に忘れないよう注意。	WOWPASSの場合、専用キオスクからウォンを引き出せる。専用キオスクの場所を事前に把握しておくとよい。

プサンでの両替

両替できる場所が多いので、日本円の現金だけを持っていっても問題ない。空港の両替所、銀行、ホテル、民間の両替所などで両替でき、一般的に交換レートは公認両替所が一番よく、ホテルは少し割高といわれている。両替には1回につき手数料がかかるので、計画的に行いたい。

使い残したウォンはどうする？

日本帰国後は紙幣に限り韓国系銀行の支店で両替できるが、交換レートは悪くなる。余ったら帰国前に韓国の国際空港の両替所でするとよい。いずれの場合も、日本円をウォンに両替した際のレシートが必要なので、大切に保管しよう。

レート表の見方 ※表は一例

		CASH	
		BUYING	SELLING
● JPY		871.19	902.21

JPY＝日本円
KRW＝韓国ウォン

1万円（現金）をウォンに両替する場合の計算式：
100 × 871.19 ＝W87,119 となる
※レートは100円単位なので1万円を両替する場合はレートに100をかける

現金の両替時でも基本的にはパスポート（コピーで可）の提示が必要。コピーを携帯すると便利

ATMの使い方 **CIRRUS** **PLUS**

プサンの街にはいたるところにATM（現金自動預払機）がある。地下鉄駅やコンビニエンスストアにも設置されている。提携（cirrusやPLUS）の国際キャッシュカードなら自分の口座からウォンを引き出せる。VISAやMasterなどクレジットカードのキャッシングも可能。

カードの種類により、使えるATM機種が違うのでマークの確認を

① ATM/CD機に提携ネットワーク（Cirrusや PLUS）のマークがついているか確認

② カード挿入口に対応のキャッシュカードを入れてすぐに抜き取る

③ INTERNATIONALを選択し、言語を指定する

④ 暗証番号（PIN）を入力

⑤ 金額（現地通貨）を入力

⑥ レシートと現金を受け取る

プサンの物価

W800〜
ミネラル
ウォーター
（500㎖）

W4500〜
コーヒー
（STARBUCKS）

W5000〜
生ビール
（ジョッキ1杯）

W3400〜
ハンバーガー
（マクドナルド）

W1万
映画

W4800
タクシー
（一般/初乗り）

W1万〜
CD
（アルバム）

［ 電話のかけ方 ］

○ 国際電話

> 海外でスマホを使いたい人は、Wi-Fiルーターをレンタルするか、e-SIMもしくはSIMカードを購入、携帯会社の海外プランなどを利用しよう。

プサン→日本

LINEやKAKAOトークなどのスマホアプリを利用すれば、簡単で通話も無料。インターネットに接続されていない環境では使用できないので注意。直接相手にかける国際ダイヤル直通は中級以上のホテルなら客室の電話からかけられる。ただし、手数料がかかるので割高だ。客室からかける場合、ホテルごとの専用番号を先にダイヤルしてから下記の番号に続ける。室内にある電話指南を参照しておこう。

○ 直通ダイヤル

国際電話識別番号		日本の国番号		市外局番の最初の0を省く
001または002	+	81	+	相手の電話番号

●料金は電話会社により異なる

日本→プサン

国際電話識別番号		韓国の国番号		市外局番の最初の0を省く
010	+	82	+	相手の電話番号

［ 郵便・小包の送り方 ］

○ はがき・封書

はがきは郵便局のほか、キオスクやコンビニなどで買える。宛先は「JAPAN」「AIR MAIL」のみローマ字で記せば、ほかは日本語で問題ない。投函する際は、郵便局の窓口を利用するか、料金分の切手（우표／ウピョ）を貼って郵便ポストへ。日本へははがきW430、封書10gまでW570。ホテルのフロントに頼めば、投函してくれる。郵便事情はよく、通常7〜15日で日本に届く。

郵便ポスト。エアメールは右へ

○ 小包

おみやげなどで荷物が多くなった場合は、小包で日本へ送るのが便利。小包は郵便局の窓口に直接持っていく。航空便と船便があり、航空便は0.5kgまでW1万7000、1kgまでW1万8000、2kgまでW2万1000で、7〜15日ほどで日本に届く。船便は2kgまでW1万5500、4kgまでW2万、6kgまでW2万4500、10kgまでW3万4000で、20〜60日ほどで日本に届く。釜山郵便局には梱包サービスがあり、郵送料とは別料金で利用できる。

●釜山郵便局
☎ (051) 600-3000 ⏰9〜18時 休土・日曜、祝日 **MAP** 付録P5-C1

○ 宅配便

料金は郵便よりも高くなるが、電話をすればホテルまで荷物を取りにきてくれるので気軽に利用できる。言葉が不安な人はホテルのフロントに頼むといいだろう。料金や日数は各社に直接問い合わせを。
●DHL ☎ (051) 310-6193（中央洞）

エアメール宛先の書き方

❶宛先の住所と名前を書く。ここは日本語でOK
❷国名は英語。目立つように大きく書く
❸航空便であることを赤字で書く
❹空きスペースに自分の名前を書く

Air Mail ❸

（文面）

〒135-8165
❶東京都江東区
豊洲5-6-36
石田太郎様

田中エリ ❹   ❷JAPAN   切手

［ 携帯・スマートフォンの設定 ］

インターネットに接続されている環境なら、LINEなどのスマホアプリを利用するのが簡単。インターネットはSIMカードの出し入れが不要のeSIMが便利。韓国の電話番号付きのものはSMSを受信でき、飲食店などのウェイティングに使える場合もある。

◯ eSIM

端末に内蔵された本体一体型のSIMに書き込まれているプランを、スマホの設定で切り替えて海外でインターネットを使えるようにするもの。SIMカードの出し入れが不要で、手続きもスムーズ。種類により受信用として韓国の電話番号が使えるものもある。飲食店ではウェイティングの際、電子受付で電話番号を登録すれば、自分の予約番号をSMSで確認できるため、電話番号つきのeSIMがおすすめ。返却や充電が不要なのもGOOD。

◯ プリペイドSIM

端末内に装着しているカード型のSIMカードを、海外用のSIMカードに差し替えることで、海外のスマホ回線を使えるようにする方法。Wi-Fiがない環境でも電波が届くところであれば端末の使用ができる。差替や設定が必要なため少し手間がかかるが、プリペイド式で後から高額請求になることがなく安心。データ容量や利用期間、対応機種を確認して購入しよう。

◯ パケットサービス

端末内に装着しているカード型のSIMカードを海外パケット仕様に切り替えることで、電話番号はそのまま海外でインターネットが使える。従量課金タイプから使い放題までプランはさまざま。規定の通信量を超えたら速度が制限されることもある。

◯ Wi-Fi

日数や通信速度によってプランを選べる、海外専用のWi-Fiルーターを使用する方法もある。持ち運びや充電の必要はあるが、複数人で同時にインターネットを利用可能。また、現地のカフェなど無料のWi-Fiスポットも多い。市内のホテルでは、ゲストハウスやドミトリーなども含め、客室内で有線もしくは無線LANを利用できるところが多い。料金は無料のホテルが多いが、利用する前に確認を。また、ビジネスセンターがあれば、備え付けのパソコンを利用することもできる。料金はフロントで確認しよう。

SIMとは？

電話回線を使った音声通話やデータ通信をするためのICカードのこと。SIMが契約者情報を記録し、電話番号と紐付けることで通話や通信ができるようになる。SIMは4種類あり、現在はnano SIMカードと、スマホ内蔵型のeSIMが主流。また、海外SIMにはデータ通信のみ可能なSIM、それに加えて音声通話もできるSIMがある。

複数人でシェアするなら Wi-Fiルーターがおすすめ

SIMやeSIMは1枚につき1つの端末しか利用できないが、Wi-Fiルーターは複数人でネットが共有できる。また、PCやiPadなど、複数デバイスをネット接続したい場合もWi-Fiルーターがおすすめ。

空港で手軽に借りられる グローバルWi-Fi

成田、羽田、関西などの国内空港でWi-Fiルーターを即日レンタル、受け取り、返却までできる。超高速5G通信や4GLTEのデータ無制限プランが選べて、24時間の日本語サポートもつくので安心。1台あれば、複数人でシェアして使うこともできる。

URL townwifi.com

[基本情報]

「礼節の国」といわれる韓国では、儒教の思想が人々に根づいている。それを念頭に置いて生活の基本情報を知っておけば、旅はよりスムーズに、かつ懐深くにふれられる。

⭕ マナー

特に気をつけたいのが食事のマナー。基本の作法としては、ご飯も汁物もスプーン（スッカラ）を使って食べる。箸（チョッカラ）はおかずを取るときなどに使用。器を手で持って食べるのは無作法とされ、器に直接口をつけるのもマナー違反。

⭕ 飲料水

韓国の水道水は政府が飲料水として認めているが、市販のミネラルウォーターを購入するほうがベター。レストランなどで出される水は沸かしてあるので飲用できる。

⭕ トイレ

プサンでは水洗トイレが普及している。地下鉄駅内などに公衆トイレがあり、デパートやホテルなどは特に清潔だ。地下鉄の駅など公共施設では紙が流せる場所も多いが、流せない場所もあるのでトイレ内の表示を確認しよう。「トイレはどこですか？」は、「ファジャンシルウン・オディムニカ？」で通じる。

⭕ ビジネスアワー

- ●レストラン 時10〜22時ごろ(店により異なる)
- ●デパート 時10時30分〜20時ごろ(店により異なる)
- ●銀行 時9〜16時ごろ　休土・日曜
- ●オフィス 時9〜18時ごろ　休土・日曜

⭕ 電圧とプラグ

電圧は110Vと220V。プサンの主要ホテルでは220Vが多い。日本製の100Vのものを使う場合は変圧器が必要になる。プラグの形はA、C、SEの3タイプ（Aタイプは現在あまり使われていない）。

A型

C型

SE型

⭕ 度量衡

- ● 長さ…1尺 (자)＝約30.3cm
- ● 重さ…1斤(근)＝約600g
- ● 容量…1升(되)＝約1.8ℓ
- ● 面積…1坪(평)＝約3.3㎡

⭕ サイズ比較表

サイズ表はあくまで目安。メーカーや店などにより差があるので必ず試着をして確認を。韓国ではメートル法の利用が法律で定められているので、原則的に服のサイズ以外は日本と同じ感覚で買い物できる。

女性用衣類	日本	7	9	11	13	15	17	19	—	—
	韓国	44	55	66	77	88	99	—	—	—
男性用衣類	日本	S		M		L		LL		
	韓国	30	32	33	34	34	36	36	38	—	—
靴	日本	22	22.5	23	23.5	24	24.5	25	25.5	26	26.5
	韓国	220	225	230	235	240	245	250	255	260	265

シーズンチェック

● 祝祭日

1月1日 ……新正月

2月10日 ……旧正月★(ソルラル。1月28〜30日で3連休)

3月1日 ……三・一節(独立運動記念日)

5月5日 ……こどもの日

5月15日 ……釈迦誕生日★

6月6日 ……顕忠日(忠霊記念日。国のために亡くなった人の追悼を行う)

8月15日 ……光復節(独立記念日)

9月17日 ……秋夕★(チュソク。9月16〜18日)

10月3日 ……開天節(建国記念日)

10月9日 ……ハングルの日

12月25日 ……クリスマス

● 行事・イベント

2月12日 ……テボルム★(旧暦の新年の最初の満月を祝う韓国の祝日)

2月14日 ……バレンタインデー

3月14日 ……ホワイトデー

4月14日 ……ブラックデー(バレンタインデーやホワイトデーに実りがなかった人たちが黒いチャジャン麺を食べる)

5月4日 ……宗廟祭礼★(朝鮮王朝の歴代王を祀る、韓国最大の伝統行事)

10月上旬 ……釜山国際映画祭(アジアの新人監督作品を中心に扱う国際的な映画祭)

※★マークは年により日付が変わり、上記の日程は2024年6月〜2025年5月のもの(変更となる可能性あり)

● 気候と服装アドバイス

春 3〜5月 寒さの和らぐ3月も朝晩は冷える。4月に入ると一気に春めき、5月は爽やかで過ごしやすい日が続く。

夏 6〜8月 6月下旬から7月下旬は本格的な梅雨。折りたたみ傘があると便利。8月は水着持参でビーチを訪れるのもいい。

秋 9〜11月 9月から11月にかけては、全般にすがすがしい晴天の日が多い。11月中旬からは防寒対策もしっかり。

冬 12〜2月 12月に入るとぐっと気温が下がり、1〜2月が最も冷え込み、乾燥するので保湿をしっかりしたい。

● 気温と降水量

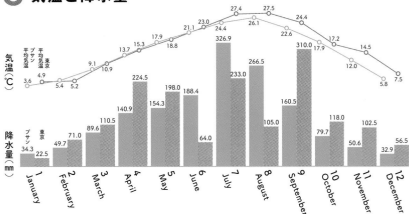

＊月別の平均気温、降水量は理科年表を参考に作成

旅のトラブル

○ 病気の場合

病気がひどくなったら、ためらわずに病院へ。救急車を呼ぶときは、119(警察112) 番。ホテルではフロントに連絡すれば、医師の手配をしてくれる。保険に加入している場合は、現地の日本語救急デスクへ連絡すると提携病院を紹介してくれる。また、海外の薬は体質に合わないことがあるので、普段から使い慣れた薬を持参するとよい。

○ 盗難・紛失の場合

韓国は比較的治安がよいが、スリや置き引きなどの軽犯罪には要注意。盗難の被害に遭った場合、残念ながら戻ってくることはほとんどない。被害を最小限に抑えるためにも速やかに正しく対処することが大切だ。

パスポート

1. 警察に届ける
現地の警察に届け、盗難（紛失）届受理証明書を発行してもらう。ホテル内で盗難、紛失に遭った場合は、必要に応じてホテルからも証明書を発行してもらう。

2. パスポートの失効手続きをする
日本大使館へ出向いて、紛失旅券の失効手続きを行う。必要な書類は、①紛失一般旅券等届出書1通（窓口にて入手）、②警察が発行した紛失・盗難の届出立証書類、③写真（縦45mm×横35mm）2枚、④身元確認書類（運転免許証等）。

3. パスポートの新規発給手続きをする
旅券を申請する。手数料のほかに必要な書類は、①一般旅券発給申請書1通（窓口にて入手）、②戸籍謄（抄）本1通（申請日前6カ月以内発行）、③写真2枚（縦45mm×横35mm）。

3. 帰国のための渡航書を申請する
日本へ直行で帰国する人に限り、「帰国のための渡航書」を発給する。必要な書類は、①渡航書発給申請書1通（窓口にて入手）、②戸籍謄（抄）本1通（6カ月以内の発行）、または日本国籍であることを確認できる書類、③写真（縦45mm×横35mm）2枚、④帰国する飛行機等の便名が確認できるもの。

クレジットカード

1. カード会社へ連絡
不正使用を防ぐため、クレジットカード会社へ連絡し、カードを無効にしてもらう。

2. 警察に届ける
不正使用されたときの証明のため、現地の警察に届け、盗難（紛失）届受理証明書を発行してもらう。ホテル内で盗難、紛失に遭った場合は、必要に応じてホテルからも証明書を発行してもらう。

3. 再発行
カード会社によっては、帰国まで使用できる暫定カードを数日で発行し、届けてくれるところもある。カード会社の指示に従おう。

荷物

1. 警察に届ける
現地の警察に届け、盗難（紛失）届受理証明書を発行してもらう。ホテル内で盗難、紛失に遭った場合は、必要に応じてホテルからも証明書を発行してもらう。

2. 帰国後、保険の請求を行う
海外旅行傷害保険に加入していて携行品特約を付けていれば、帰国後速やかに保険会社へ連絡し、手続きを行う。保険の請求には現地の警察が発行した盗難（紛失）届受理証明書が必要。

便利アドレス帳

日本国内

《大使館・情報収集》

•駐日本国大韓民国
大使館

•韓国観光公社

•外務省領事局
領事サービスセンター
(海外安全相談班)

•外務省海外安全ホームページ

《主要航空会社》

•JAL国際線
予約センター

•ANA国際線予約・
案内センター

•大韓航空

•アシアナ航空

•エアプサン

《主要空港》

•成田国際空港

•東京国際空港(羽田空港)

•関西国際空港

韓国

《緊急時・現地情報》

•在大韓民国日本国
大使館

•在釜山日本国総領事館

•警察
☎112
•消防・救急
☎119

《空港》

•金海国際空港

《クレジットカード緊急連絡先》

•JCB
(JCB紛失・盗難海外サポート)

•Visa
(クレジットカード紛失時のお手続き)

たびレジ

外務省から、最新の安全情報をメールやLINEで受け取れる海外安全情報無料配信サービス。出発前から渡航先の安全情報が入手できるだけでなく、旅行中も大規模な事件や事故、自然災害など緊急事態が発生した場合、現地の大使館・総領事館から安否確認の連絡を含め、素早く支援が受けられる。

INDEX
さくいん

グルメ・カフェ

あ
アンティ・アンズ………………P52
イムンセ 広安里 ………………P80
一品韓牛………………………P20
イルムナン機張サンコムジャンオ…P23
元山麺屋………………………P61
元祖チョバンナクチ……………P17
銀河カルビ……………………P21
五月生…………………………P55
オクチョンフェッチブ…………P50
オバンジャン…………………P21
オフン…………………P27・28
五六島ナクチポックム……P16・51

か
カサブサノ 釜山近現代歴史館店 P26
カップ＆カップ…………………P71
カップナッツ 影島店 ……P28・67
カフェ ザ ドム…………………P54
キジャンソンカルグクス………P19
キムパブ天国…………………P25
キムユスンテグポルチム………P16
キルスフェッチブ………………P17
急行荘…………………………P20
クムスポックク…………P17・69
クロサムパブ…………………P76
階段上の青い家………………P11
ケミチブ………………………P79
コプチャンサロンヨンタングイ P23
コンテムア……………………P55

さ
18番ワンタン屋 ………………P79
シングァン水産………………P63
ソウルカクトゥギ……………P23
ソクシウォナンテグタン………P16
西面開琴ミルミョン……………P19
西面屋台通り…………………P24
ソルビン………………P28・81
ソムジンガン…………………P79
ソムンナン・テグタン…………P81
松亭3代クッパブ ……………P80

た
タジョン………………………P56
タルマル………………………P81
チーズフォーム広安里………P27
済州家…………………………P80

チャマダン……………………P56
春夏秋冬………………………P18
草梁ミルミョン………………P18
伝統スッミルミョン……………P81
鍾路ピンデトッ…………P17・79
テジクッパ通り………………P53
テファユッケジャン…………P80
トゥゴレスンドゥブ……………P79
東豆川プデチゲ………………P80
東萊ハルメパジョン……………P73

な
南浦参鶏湯……………………P79

は
バターラブ……………………P54
ハドンフェッチブ………………P81
ハムキョン麺屋………………P19
ハルメカヤミルミョン…………P19
ハルメジェチョクッ……………P81
ハルムチブ……………P17・19
パリバケット 釜山南浦店 ……P25
ハンダソッ……………P17・71
ピピピ堂………………………P69
刺身通り………………………P24
釜山トンダク…………………P80
プピョンヤンゴプチャン………P22
ブルーシャーク………………P65
ペッカヤンゴプチャン…………P79
宝城緑茶………………P28・81
ポハンテジクッパ……………P80
ポンジョンテジクッパ…………P22

ま
馬山食堂………………………P80
マンナカムジャタン……………P25
メゾン・ド・ダウォル…………P27
モウヴ…………………………P55
モダンテーブル………………P27

や・ら
ヤンサンココトンダク…………P81
影島海女村……………P17・67
リライカフェ…………………P26

ショッピング

あ
アビベルカンパニー……………P37
アルケット……………………P31

Eマート・トレーダーズ………P84
Eマート海雲台店 ……P35・84
イデミョンガ 南川店 …………P71
イニスフリー 西面ロデオ店 P32・48
インアウト……………………P57
インスタントファンク…………P30
Hストーリー…………………P57
SSGフードマーケット センタムシティ店… P35・38
エチュード 大峴店……………P32
NC百貨店 釜山大店 …………P84
エミス…………………………P30
オリーブヤング 西面駅舎店… P33・48

か
カーリーバスケット……………P65
キサダショップ………………P83
光復地下ショッピングセンター…P82
国際市場………………P62・64
国際漆器………………………P82

さ
シコル センタムシティ店… P33・48
シニア…………………………P57
新世界センタムシティ…………P38
新世界免税店 釜山店 …………P39
スタンドオイル………………P31
セントラルスクエア……………P52
西面モール地下商街………P57・83

た
タンバリンズ…………………P33
茶和……………………………P65
チョロクセム…………………P65
徳盛陶器………………………P65
ドレスカフェ…………………P84

な
南浦洞乾物卸売市場……………P63
農協ハナロマート……………P82
ノンフィクション……………P33

は
バター…………………………P83
ピグメント……………………P57
現代デパート…………………P84
釜山パダサンド………………P69
ブラケットテーブル……………P37
ひまわり食品…………………P83
ホームプラス センタムシティ P35・84
ホリカホリカ 西面モール店 P32・48

ま、や

マ ベル ミニョン ……………P37
マリテ フランソワ ジルボー …P31
ミシャ 西面地下３号店 ………P32
ミルラク・ザ・マーケット… P28・70
メガマート東萊店……………P84
ヨガコガ広安里………………P70
永豊文庫………………………P83

ら

ラブイズギビング……………P36
ラブイズギビング ハートベア P83
ルフトマンション……………P36
ロッテ地下商店街……………P83
ロッテプレミアムアウトレット 金海店…P40
ロッテプレミアムアウトレット 東釜山店…P40
ロッテ百貨店 光復店 …………P82
ロッテ百貨店 釜山本店 … P52・58
ロッテマート 光復店 …… P35・82
ロッテ免税店 釜山店 …………P39

ナイト

か、さ

キナムユンジュマッコリ………P86
ゴリラビーチ…………………P59
シティバス夜景ツアー…………P86
セブンラックカジノ……… P53・86

た

チョン Yaa! ジェ ……………P59
トップネ………………………P86

は

ファジーネイブル……………P59
虚心庁プロイ…………………P86

や

映画の殿堂……………………P86

ビューティー

あ

アロマ・リラックス・ハウス…P53
HT ヒーリングタッチケア ……P86
オアシスマッサージ…………P46
オーセラススパ………………P53

か

広安海水ワールド……………P43
クラブ D オアシス …………P42

さ

The106 エステティック………P47
シャロットエステティック……P53
ジョパンヘスタン……………P85
新世界スパランド……………P44
松島ヘスピア…………………P43

た

タワーヒルセラピー……………P46
太宗台温泉……………………P85

な

ナチュラエステ………………P86
ネイル&コー…………………P85

は、ま、ら

ハーブスポーツマッサージ……P47
ヒルスパ………………………P45
ヘルキナ………………………P85
虚心庁………………… P45・73
ミューズネイル………………P85

観光スポット

あ

雁鴨池…………………………P76
アリラン通り…………………P62
外島……………………………P78

か

甘川文化村……………… P11・78
慶州民俗工芸村………………P76
広安里Ｍドローンライトショー…P71
金剛公園………………………P73
国立慶州博物館………………P76
巨済島…………………………P78
古墳公園（大陵苑）…………P76

さ

シーライフ・ブサンアクアリウム…P68
新東亜市場……………………P63
新羅窯…………………………P76
石窟庵…………………………P75

た

チャガルチ市場………………P63
昌原北部里楡の木……………P51
瞻星台…………………………P76
太宗台オーシャンフライング …P9・67
太宗台公園……………………P67
東萊温泉露天足湯……………P73
冬柏公園………………………P78

は

BIFF 広場 ……………………P62
ヒンヨウル文化村……………P66
釜山医療観光案内センター…P53
ブサン エックス ザ スカイ… P51・69
釜山タワー……………………P60
釜山博物館……………………P78
富平市場………………………P24
仏国寺…………………………P75
海雲台海水浴場………………P68
海雲台ブルーラインパーク… P10・69
海東龍宮寺……………………P78
梵魚寺…………………………P72

や

龍頭山公園……………………P60

ホテル

あ、か

ヴィラージュ ドゥ アナンティ …P87
ウェスティン・チョースン釜山…P88
エンジェル……………………P88
コーロンシークラウドホテル…P89
コモドホテル釜山……… P50・87

さ、た

シグニエル釜山………………P89
タワーヒルホテル……………P87
東横 INN 釜山西面……………P88
東横 INN 釜山中央駅 …………P87

は

パークハイアット釜山…………P88
パラダイスホテル釜山…………P89
ヒルトン慶州…………………P89
釜山観光ホテル………………P87
海雲台センタムホテル…………P89
ホテルアベンツリー釜山………P87
ホテルイルア…………………P88
ホテル農心……………………P89
ラハンセレクト慶州……………P89
ロッテホテル釜山……………P88

ララチッタ

プサン
BUSAN

2024年7月15日　初版印刷
2024年8月　1日　初版発行

編集人　　　　　福本由美香
発行人　　　　　盛崎宏行
発行所　　　　　JTBパブリッシング
　　　　　　　　〒135-8165
　　　　　　　　東京都江東区豊洲5-6-36
　　　　　　　　豊洲プライムスクエア11階

企画・編集　　　情報メディア編集部
編集担当　　　　古谷ひろ子
編集・取材・撮影　エンチャント・エッジ
　　　　　　　　HIKARU／KLTAB（キム・ミンヨン、キム・ユミ）
　　　　　　　　イ・ジュンヨブ
　　　　　　　　Gauche
　　　　　　　　千智宣／韓麻木／Choi Jae Sik／
　　　　　　　　Joo Sung Yong／清水博之／
　　　　　　　　クルー／原美和子
本文デザイン　　BUXUS（佐々木恵理）
　　　　　　　　宇都宮久美子
　　　　　　　　よすがでざいん／アイル企画
表紙デザイン　　ローグ　クリエイティブ（馬場貴裕／西浦隆大）
シリーズロゴ　　ローグ　クリエイティブ（馬場貴裕／西浦隆大）
編集・写真協力　エンチャント・エッジ
　　　　　　　　HIKARU／KLTAB（キム・ミンヨン、キム・ユミ）
　　　　　　　　イ・ジュンヨプ
　　　　　　　　KIS co.,Ltd／韓国観光公社／岩井加代子／
　　　　　　　　佐藤憲一／田尻陽子／金己愛／
　　　　　　　　ウシオダキョウコ／松澤暁生／
　　　　　　　　新見工房／ウォーク／
　　　　　　　　中島淳子／大矢由紀子／ぷれす／PIXTA／
　　　　　　　　Shutterstock
イラスト　　　　二村大輔
地図製作　　　　アトリエ・プラン
組版　　　　　　エストール
印刷　　　　　　佐川印刷

編集内容や、乱丁、落丁のお問合せはこちら

JTBパブリッシング　お問合せ🔍

https://jtbpublishing.co.jp/contact/service/

おでかけ情報満載
https://rurubu.jp/andmore/

Line Up
※続刊予定あり

ヨーロッパ
① ローマ・フィレンツェ
② ミラノ・ヴェネツィア
③ パリ
④ ロンドン
⑤ ミュンヘン・ロマンチック街道・フランクフルト
⑥ ウィーン・プラハ
⑦ アムステルダム・ブリュッセル
⑧ スペイン
⑨ 北欧
⑩ イタリア
⑪ フランス
⑫ イギリス
⑬ スイス

アジア
① ソウル
② 台北
③ 香港・マカオ
④ 上海
⑤ シンガポール
⑥ バンコク
⑦ プーケット・サムイ島・バンコク
⑧ ホーチミン
⑨ アンコールワット・ホーチミン
⑩ バリ島
⑪ プサン
⑫ ベトナム
⑬ 台湾
⑭ セブ島 フィリピン

アメリカ
① ニューヨーク
② ラスベガス・セドナ
③ ロサンゼルス・サンフランシスコ
④ バンクーバー・カナディアンロッキー

太平洋
① ホノルル
② グアム
③ ケアンズ・グレートバリアリーフ
④ シドニー・ウルル（エアーズ・ロック）
⑤ ハワイ島・ホノルル
⑥ オーストラリア